CES GENS QUI ONT DU SUCCÈS...
ONT-ILS VRAIMENT PLUS DE CHANCE QUE LES AUTRES ?

STÉPHANIE MILOT

B.Sc., Psyt.

avec la collaboration d'Isabelle Fournier, B.Sc., Psyt.

Ces gens qui ont du succès...

Ont-ils vraiment plus de chance que les autres ?

Les Éditions
SCSM inc.

Catalogage avant publication de Bibliothèque et Archives Canada
Milot, Stéphanie
Ces gens qui ont du succès...
Ont-ils vraiment plus de chance que les autres ?
Comprend des réf. bibliogr.
ISBN 978-2-9810095-0-0
1. Psychologie. 2. Réalisation de soi. 3. Succès.

Révision linguistique : Christelle Auger
Mise en page : Christelle Auger
Photo de la couverture : Daniel Cossette
Graphisme de la couverture : Louis-Jean Boucher

Les Éditions SCSM inc.
3, 71ᵉ Avenue
Laval (Québec) H7V 2R4
Téléphone : (450) 978-2725
Télécopieur : (450) 505-3492

Distribution au Canada
Messageries ADP
2315, rue de la Province
Longueuil (Québec) J4G 1G4
Téléphone : (450) 640-1234
Sans frais : 1 (800) 771-3022

© Les Éditions SCSM inc., 2007
Dépôt légal – Bibliothèque et Archives nationales du Québec, 2007

ISBN 978-2-9810095-0-0

TABLE DES MATIÈRES

INTRODUCTION

Les gens qui ont du succès, ont-ils vraiment plus de chance que les autres ? Peut-on croire qu'il existe une loterie de la vie qui détermine si nous serons chanceux ou malchanceux, si nous aurons du succès ou non ?

La bonne nouvelle, c'est que la réponse est NON ! Nous sommes plutôt les propres artisans de notre succès.

Qui ne rêve pas de réussir de façon extraordinaire dans toutes les sphères de sa vie ? Qui ne souhaite pas avoir une union heureuse, une famille épanouie et une carrière couronnée de succès et de prospérité ? Qui ne veut pas vivre dans l'abondance ? Qui ne désire pas être heureux à chaque nouvelle journée qui se présente ?

Mais alors, pourquoi la vie ne semble-t-elle pas si facile pour chacun d'entre nous ? Pourquoi certaines personnes arrivent à constamment prendre des actions qui les amènent au succès, alors que pour d'autres, ce dernier semble inaccessible ?

Mais au juste, qu'est-ce que ça signifie exactement avoir du succès ? Si vous aviez à décrire ce que représente le succès pour vous, que diriez-vous ? Certains répondront à cette question qu'il s'agit de réussir professionnellement dans une carrière que l'on aime, d'autres que c'est le sentiment d'avoir accompli quelque chose qui leur tenait à cœur : d'avoir des enfants, de voyager, d'être heureux. Il existe effectivement différentes manières de définir le succès. Il semble toutefois que l'on puisse regrouper certaines constantes au succès. Le succès a un caractère favorable, il fait référence à un résultat heureux, suite à un acte ou fait initial. Ainsi, on peut très certainement parler d'un accomplissement heureux et ce, peu importe le domaine auquel le résultat est attaché. Le succès implique qu'il y ait d'abord eu un désir et que par différentes actions, sa réalisation ait été possible. Lorsqu'on pense au succès, plusieurs autres mots s'y rattachent dans notre esprit, comme par exemple la réussite, le bonheur, la prospérité, un exploit, une performance, etc. Peut-être qu'il y a des mots auxquels le succès vous fait penser qui n'ont pas été nommés ? Quelle est votre définition du succès ? Évidemment, il n'y a pas de bonnes ou de mauvaises réponses. La seule bonne réponse est la vôtre !

Maintenant, posons-nous la question : Est-ce que tout le monde peut avoir du succès ? Drôle de question penserez-vous peut-être, mais toutefois, il y a effectivement eu une époque où l'on ne croyait pas que tous avaient la possibilité d'avoir du succès, soit plus précisément de réussir professionnellement.

En effet, on accordait une grande importance au quotient intellectuel (Q.I.), soit l'intelligence rationnelle, logique et mathématique. À ceux qui obtenaient des résultats élevés au test de Q.I., on leur promettait une belle réussite professionnelle et on les encourageait à se diriger vers des carrières de médecins, de notaires, d'avocats ou de gestionnaires, par exemple. Alors qu'à ceux qui obtenaient des scores moins élevés, on ne les incitait pas à poursuivre leurs études. Effectivement, à cette époque, les écoles et les tests d'admission accordaient une grande importance au Q.I., mais heureusement, ce phénomène a beaucoup changé depuis quelques années.

Il est intéressant de constater qu'il a été démontré que certaines personnes qui avaient du succès, qui réussissaient professionnellement dans des postes de gestion par exemple, n'avaient pas forcément des Q.I. élevés ou supérieurs à la moyenne. Depuis le début des années 1990, nous savons maintenant que pour avoir du succès, certaines compétences précises sont importantes et contrairement à ce qu'on a longtemps cru, elles ne relèvent pas toutes de l'intelligence rationnelle, mais bien de l'intelligence émotionnelle, dont la mesure est le quotient émotionnel (Q. É.). Il ne s'agit pas de dire que le Q.I. n'est pas important, mais plutôt de réaliser qu'il n'explique au mieux que 25% des réussites professionnelles (Goleman, 1999). Cela veut donc dire que le succès dépend aussi de d'autres variables.

Dans son livre L'intelligence émotionnelle au travail 2, accepter ses émotions pour s'épanouir dans son travail, Daniel Goleman explique que c'est précisément dans les matières qui demandent une accumulation impressionnante de connaissances (médecine, droit, sciences de l'éducation et management) que le Q.I. est le moins révélateur et que l'intelligence émotionnelle devient déterminante. Il apparaît donc, avec les résultats de ces différentes études, tel que le précise Goleman, que l'intelligence émotionnelle est beaucoup plus déterminante que le Q.I. pour pronostiquer quel étudiant aura davantage de succès.

Prenons l'exemple de Robert, que j'ai rencontré il y a plusieurs années. Robert était chercheur dans un laboratoire en biochimie depuis plusieurs années. Un jour, son patron lui offrit de prendre la direction du laboratoire, ce qui signifiait qu'il allait devoir gérer les autres chercheurs. Cette promotion lui offrait de nombreux avantages et Robert décida d'accepter l'offre de son patron. Après quelques semaines en fonction, rien n'allait plus dans le département. Robert était constamment en conflit avec ses collègues et n'arrivait pas à faire preuve de flexibilité avec eux. Il avait adopté un style de gestion très dictateur et évidemment, les autres chercheurs n'acceptaient pas du tout sa façon de faire. Robert était pourtant un homme intelligent. Comment se faisait-il qu'il lui était si difficile de gérer le personnel ? Comment se faisait-il qu'un homme si scolarisé et intelligent n'arrivait pas à s'entendre avec ses pairs ? La réponse était bien simple. La capacité de faire preuve de flexibilité, de gérer et de résoudre des conflits, de faire preuve d'empathie envers les autres, font partie des compétences de l'intelligence émotionnelle.

Une personne peut être très scolarisée et n'avoir que de faibles compétences au niveau de l'intelligence émotionnelle. Par contre, la bonne nouvelle est que, contrairement au Q.I., l'intelligence émotionnelle peut se développer. Que ce soit par le biais de lectures, de formations ou d'expériences de vie, nous sommes en mesure d'accroître notre Q.É.

Ce livre a pris forme à partir des chroniques que j'écris tous les mois depuis maintenant plus d'un an.

Ces différentes chroniques ont pour but de vous aider, entre autres, à développer votre intelligence émotionnelle et par le fait même, à avoir plus de succès dans votre vie ! Vous constaterez que j'y aborde des sujets aussi variés que le stress, l'atteinte d'objectifs, l'art du dépassement, l'importance du moment présent, en passant par la colère et aussi par l'art de dédramatiser les évènements du quotidien.

Gardez en tête que chacune des ces chroniques a été écrite avec l'intention de vous fournir des conseils et des outils, afin de vous permettre d'atteindre le succès sous toutes ses formes.

Tel que je l'ai mentionné précédemment, le succès revêt plusieurs formes, mais **ma définition à moi du succès, c'est l'art d'être heureux dans toutes les sphères de sa vie et d'avoir le sentiment de s'accomplir à chaque jour.** C'est dans cette optique et avec cette définition en tête que j'ai écrit chacune de ces chroniques.

Cet ouvrage comporte aussi une section très intéressante sur le succès en couple.

Lorsqu'on pense au mot succès, on pense souvent au succès professionnel, mais je crois que le succès au niveau personnel est aussi important, sinon plus.

Bonne lecture et bonne route vers le succès !

Stéphanie

CHRONIQUES DU SUCCÈS

LE SUCCÈS PAR L'ÉQUILIBRE ÉMOTIONNEL

L'intelligence émotionnelle peut se définir simplement par une utilisation intelligente de ses émotions. Toutefois, pour arriver à faire cette utilisation intelligente, plusieurs autres compétences sont rattachées et par conséquent incluses dans la définition. L'intelligence émotionnelle est comme une grande boîte dans laquelle on retrouve plusieurs autres concepts. C'est d'ailleurs en précisant ces diverses composantes de l'intelligence émotionnelle que nous arriverons à mieux comprendre ce que c'est exactement. On parle beaucoup des qualités du cœur, d'une autre manière d'être intelligent, d'une utilisation intelligente de ses émotions... Qu'est-ce que cela veut dire au juste ?

Les premiers psychologues à découvrir les composantes de l'intelligence émotionnelle sont John Mayer, de l'Université du New Hamshire, et Peter Salover, de Yale. De plus, ce sont eux qui ont créé le terme « *Intelligence émotionnelle* ».

Ces auteurs décrivent l'intelligence émotionnelle comme la capacité à réguler et à maîtriser ses propres sentiments et ceux des autres et à utiliser ces sentiments pour guider les pensées et les actes. Ce sont des habiletés permettant d'évaluer, d'exprimer et d'assurer un fonctionnement plus approprié des émotions.

Dans le même sens, l'auteur Daniel Goleman, docteur en psychologie, a été l'un des premiers au Québec à faire connaître et à enseigner l'intelligence émotionnelle. Il la définit comme étant la capacité à reconnaître ses propres sentiments et ceux des autres, à se motiver soi-même, à persévérer, à bien gérer ses émotions et ses relations avec les autres.

De plus, dans son livre *L'intelligence émotionnelle 2,* Monsieur Goleman dresse un portrait des différentes compétences associées à l'intelligence émotionnelle. Il parle de deux types de compétences, qu'il présente en deux sphères : les compétences personnelles et les compétences sociales. Ces deux sphères sont divisées en quatre catégories de compétences.

Voici une description des différentes habiletés associées aux quatre catégories de compétences de l'intelligence émotionnelle.

LA CONSCIENCE DE SOI

La conscience de soi représente la case départ pour toute personne qui désire développer son intelligence émotionnelle. Il s'agit de la clé ! Comment pouvons-nous arriver à mieux gérer nos émotions, si nous ne sommes pas d'abord conscients de la présence de celles-ci à l'intérieur de nous. Un individu qui a développé sa conscience de soi est en mesure d'identifier, de nommer et d'analyser les émotions qu'il ressent et aussi de déterminer les différentes situations, événements et personnes qui lui fournissent des occasions de ressentir des émotions désagréables ou agréables.

La conscience de soi inclut aussi la capacité d'utiliser son instinct pour orienter ses décisions. Elle comprend aussi la faculté de reconnaître ses forces et ses limites de même que la capacité de tirer des leçons des expériences et l'ouverture à de nouvelles perspectives.

Finalement, la conscience de soi englobe la capacité d'humour et de recul par rapport à une situation jugée difficile. Un individu capable de faire preuve d'assurance et de présence dans les rapports humains a aussi développé sa conscience de soi. De plus, la faculté à défendre ses points de vue et à prendre des risques de même que la capacité à prendre des décisions saines malgré les incertitudes et les pressions font aussi partie de cette compétence de l'intelligence émotionnelle.

LA GESTION DE SOI

Lorsque l'on vit des émotions désagréables, nous avons avantage à être en mesure de gérer l'intensité de ces dernières. Réalisons qu'il est normal de vivre des émotions, mais que souvent, c'est l'intensité très élevée avec laquelle nous les ressentons qui est nocive. Par exemple, le fait de vivre de l'irritation face à une situation est normal. Par contre, si je vis de la rage et que cette rage me pousse à adopter des comportements inadéquats, je risque de vivre des conséquences, physiques, psychologiques et émotionnelles que je ne souhaitais pas ou d'en faire vivre aux autres.

On englobe, dans la gestion de soi, la capacité de garder le contrôle de nos émotions et de nos impulsions perturbatrices et déstabilisantes. C'est comme apprendre à surfer plutôt que de se laisser enfouir par la vague. De plus, nous retrouvons aussi la faculté de rester calme et positif et le fait d'avoir une facilité d'adaptation à différentes situations. Dans cette compétence qu'est la gestion de soi, on retrouve aussi la flexibilité pour surmonter les obstacles et la volonté de progresser pour atteindre les normes personnelles que l'on s'est fixées.

LA CONSCIENCE DES AUTRES

Si nous ressentons personnellement des émotions, les autres aussi en ressentent, évidemment ! Il est donc important et utile pour qui veut développer son intelligence émotionnelle d'être conscient des émotions des autres, de chercher à comprendre ce qu'ils vivent. C'est précisément l'empathie qui nous aide à se mettre à la place des autres afin de mieux ressentir comment ils se sentent. Évidemment, il ne s'agit pas de pleurer avec la personne ou de se mettre en colère avec elle, mais simplement de saisir ce qu'elle ressent. La conscience des autres aide entre autres à mieux cerner leurs points de vue et de s'intéresser à leurs préoccupations. Ainsi, plus un individu a développé sa conscience des autres, plus il est capable de faire preuve d'empathie et de se mettre à la place des autres pour comprendre ce que vivent ces derniers. Également, la conscience des autres facilite grandement le travail en équipe, la collaboration et l'harmonie.

LA GESTION DES RELATIONS

Une personne qui a développé cette compétence a la capacité de guider et de motiver les autres par sa vision enthousiaste de la vie. Elle est aussi en mesure de soutenir les autres dans ce qu'ils vivent. La capacité de gérer les conflits fait également partie de la gestion des relations, de même que la faculté de trouver des solutions aux désaccords et d'initier facilement des changements.

La facilité à construire des liens, à les cultiver et à les entretenir caractérise aussi la gestion des relations. Les personnes qui ont développé des habiletés à communiquer efficacement arrivent à mieux gérer leurs relations.

Réalisons que c'est le travail de toute une vie que de vouloir parfaire l'ensemble des compétences que l'on retrouve dans les différentes sphères de l'intelligence émotionnelle. Par contre, il est important de savoir que l'intelligence émotionnelle peut se développer chez chacun d'entre nous, contrairement au quotient intellectuel, qui lui, reste relativement stable dans le temps. Par le biais de lectures, de formations et par le cheminement personnel que l'on fait, on augmente notre niveau d'intelligence émotionnelle et par le fait même, nous devenons plus heureux. Ainsi, si vous désirez voir votre quotient émotionnel (Q.É.) augmenter, il importe que vous appreniez à retirer des enseignements et des apprentissages de vos difficultés, cette maturité émotionnelle vous permettra de développer davantage votre intelligence émotionnelle.

Le tableau qui suit vous offre un résumé des différentes compétences que Daniel Goleman utilise afin de définir l'intelligence émotionnelle.

Avoir fait plus
pour le monde que
le monde n'a fait
pour vous : c'est
ça, le succès.

[Henry Ford]

L'intelligence émotionnelle

(Source : Adapté de *L'intelligence émotionnelle au travail 2*, Daniel Goleman)

Sphère 1 – Compétences personnelles		Sphère 2 – Compétences sociales	
Intelligence intrapersonnelle,		Intelligence interpersonnelle,	
c'est-à-dire la façon dont on se gère soi-même.		c'est-à-dire la façon dont on gère nos relations.	
CONSCIENCE DE SOI	**GESTION DE SOI**	**CONSCIENCE DES AUTRES**	**GESTION DES RELATIONS**
Reconnaître et nommer ses émotions;	Maîtrise de ses émotions; Contrôler ses impulsions;	Empathie : comprendre ce que l'autre vit et ressent;	Leadership : guider, motiver, inspirer et influencer positivement;
Conscience de l'effet de ses émotions sur soi et sur les autres;	Transparence : honnêteté et intégrité; Adaptabilité, flexibilité (adaptation au changement);	Reconnaître et respecter les besoins différents de chacun;	Persuader; Contribuer au développement des autres : soutien, feed-back, encouragement;
Juste évaluation de soi : forces et limites;	Réalisation de soi;	Travail d'équipe.	Initier des changements;
Ouverture;	Volonté de réussir et d'atteindre ses objectifs, de se dépasser;		Communication;
Humour et recul par rapport à soi;	Initiatives;		Résolution de conflits.
Capacité de tirer des leçons des expériences passées;	Optimisme.		
Confiance en soi, assurance;			
Capacité de défendre son point de vue et de prendre des décisions.			

Maintenant que vous êtes plus familiers avec le concept de l'intelligence émotionnelle, il sera intéressant d'aborder l'importance de nos perceptions. En effet, lorsque l'on vit une épreuve, par exemple, la perte d'un emploi ou une rupture amoureuse et que l'on arrive à en ressortir quelque chose de positif, un apprentissage, cela contribue au développement de notre intelligence émotionnelle. La chronique qui suit vous aidera à comprendre le rôle de vos perceptions dans la gestion de vos émotions !

LE SUCCÈS PAR LE CHANGEMENT DE PERCEPTION

Depuis plusieurs années, je me fais un devoir de demander à mes étudiants et aux personnes que j'accompagne en psychothérapie, s'ils pensent que les événements qui se déroulent autour d'eux ont le pouvoir de leur causer des émotions. À coup sûr, la majorité d'entre eux répondent par l'affirmative.

Mais réfléchissons un peu plus en profondeur à cette question. Si ce sont les événements et les personnes qui nous causent des émotions, comment expliquer que, témoins d'un même événement, deux personnes puissent avoir deux réactions complètement différentes, voire opposées ? Évidemment, elles ont un vécu, des valeurs et une éducation différente, mais, avant tout, elles perçoivent ces événements ou personnes de façon différente. Ces deux personnes décident de voir d'un œil différent ce qui s'est passé. Elles ont des idées et des pensées différentes à propos du même événement, ce qui fait que ces deux personnes ont donc deux perceptions distinctes. Un exemple tout simple illustre ce concept : deux familles avaient planifié de se rendre au parc d'attraction. Le matin du grand jour, c'est le déluge, il pleut abondamment ! Pour l'une des familles, c'est la catastrophe, la journée est fichue, ils sont donc d'humeur triste et maussade. Pour l'autre famille, évidemment il y a un peu de déception face au projet qui doit être reporté en raison de la température. Par contre, la famille en profite pour sortir les jeux de société, les vidéos d'humour et ils se promettent de passer une très belle journée et de ne pas donner le pouvoir à la température de les affecter, leur perception de ce même événement est donc beaucoup plus favorable. Ainsi bien que le facteur déclencheur, (la température) soit le même pour les deux familles, ce sont leurs perceptions (idées, pensées, scénarios) à propos de la température qui causent leurs émotions.

EXEMPLE PERCUTANT DE L'IMPORTANCE ET DE L'IMPACT DE NOTRE PERCEPTION

Il y a quelques années, j'ai assisté à un colloque qui réunissait environ 10 000 personnes. Un certain W. Mitchell était au nombre des conférenciers. Au début de la vingtaine, M. Mitchell a eu un accident de moto. Il a perdu le contrôle de son engin et s'est retrouvé sous un camion, percutant ainsi le réservoir d'essence. Le feu s'est déclaré et il a été brûlé sur 80% de son corps, notamment au visage. Pendant un an, il a vécu dans un centre de grands brûlés, pour subir plusieurs opérations et greffes et pour réapprendre à vivre. Quelques trois ou quatre ans plus tard, un autre accident, d'avion cette fois, l'a laissé paraplégique. Cet homme, brûlé, défiguré, était porteur d'un message. Malgré les malheurs qui lui étaient arrivés, il avait simplement décidé de continuer à vivre. Non seulement, M. Mitchell avait décidé de vivre, mais il a également fondé une entreprise de plusieurs dizaines d'employés. Il fait maintenant le tour du monde pour prononcer des conférences, pour raconter son histoire et surtout pour dire aux gens : « Écoutez, quand ça ne va pas bien dans votre vie, pour diverses raisons, des banalités souvent, pensez donc à moi. Je suis paraplégique et brûlé sur l'ensemble du corps. Pensez à moi. ».

Cet homme a su faire de deux événements traumatisants de sa vie un moteur pour avancer, pour vivre. Il a su changer sa perception, l'interprétation de ce qu'il a vécu. D'autres que lui auraient mis fin à leurs jours, mis fin à leurs souffrances, il a décidé de faire autrement. Plutôt que de se demander « Pourquoi moi ? », il s'est plutôt interrogé sur le sens que cet événement tragique pouvait avoir dans sa vie. Il s'est demandé : « Avec ce qui m'est arrivé, que puis-je faire pour aider les autres ? ».

Ce jour-là, je me suis dit que cet homme était l'un des plus bels exemples dans la vie. À la lumière de son expérience, je peux dire que ce ne sont pas les événements qui nous causent des émotions, mais réellement l'interprétation que nous en faisons, le regard que nous portons sur ce qui nous arrive et ce qui se passe autour de nous.

Ainsi, à partir du moment où je décide de changer ma perception, c'est-à-dire l'interprétation que je fais des événements qui m'arrivent, lorsque je ne suis plus une victime, je deviens maître de ma destinée, je deviens maître de mes émotions. Le pouvoir de changer votre perception est le plus grand que vous possédez, car il dépend uniquement de vous !

Certains objecteront que ce n'est pas facile de changer son interprétation des événements. Ils ont raison. Toutefois, est-ce plus facile de continuer à vivre des émotions désagréables ? De s'entêter à continuer à entretenir des idées irréalistes qui nous font souffrir ? Ce n'est pas plus facile, vous en conviendrez ! De plus, une chose est sûre, nous entretenons des idées, alors pourquoi ne pas choisir des idées qui nous aident à nous sentir mieux ?

Ce qui est particulièrement intéressant avec la perception, c'est qu'elle peut réellement nous amener à nous dépasser et ce dans tous les aspects de notre vie. Votre travail vous donne l'occasion de ressentir du stress, un collègue déclenche en vous des pensées qui vous frustrent, vous êtes découragé à propos de la situation de l'un de vos enfants, etc. Que d'occasions pour vous dépasser, puisque dans plusieurs de ces situations dérangeantes, il est impossible de changer les événements ou les personnes, alors tout ce qu'il vous reste, c'est de travailler sur vos propres perceptions. Voilà donc un gage de succès ! Ainsi, en portant une attention particulière à vos idées et pensées, vous serez davantage en mesure de gérer vos émotions, de regagner votre pouvoir personnel et donc de pratiquer l'art du dépassement.

LE SUCCÈS PAR L'ART DU DÉPASSEMENT

Afin de réaliser cette chronique sur l'art du dépassement; je me suis d'abord questionnée sur ce que cela voulait dire pour moi. J'en suis arrivée au constat suivant : ma définition de l'art du dépassement, c'est entre autres, la capacité qu'a un être humain de voir la vie sous un angle différent face à des difficultés qu'il peut vivre, la capacité de percevoir les épreuves avec un autre point de vue. Le lien entre le dépassement et la perception est donc très proche. C'est comme si, en quelque sorte, le dépassement serait influencé par les différentes perceptions que l'on choisit d'entretenir concernant les événements qui se produisent dans notre vie.

La réflexion concernant les personnes qui voient les difficultés sous un angle différent s'est entamée très tôt chez moi. Toute jeune, je me questionnais à savoir pourquoi certaines personnes semblaient plus heureuses que d'autres. Comment se faisait-il que pour certains, tout semblait plus facile et que presque rien ne semblait les affecter, alors que pour d'autres, la vie avait l'air d'être un perpétuel enfer ?

Lorsqu'on parle des gens pour qui la vie a l'air de toujours bien aller, je fais allusion aux personnes qui semblent être constamment heureuses, et ce dans toutes les sphères de leur vie.

Elles sont comblées dans leur travail, heureuses dans leur vie de couple, elles ont des enfants bien élevés, elles bénéficient d'une bonne santé et même lorsqu'elles ont une grippe, elles appellent cela « une petite grippette »... elles ont l'art de minimiser leurs petits bobos !

Je me demandais alors si c'était parce qu'elles sont plus chanceuses que d'autres. Comment expliquer que, contrairement à d'autres, elles arrivent à surmonter les épreuves de la vie avec une certaine maturité et avec de la sagesse ? Il ne faut pas se leurrer, ces gens-là aussi en ont des épreuves, mais fort probablement qu'ils ont décidé de changer leur façon de percevoir ces épreuves et donc de se donner la chance de se dépasser !

À l'inverse, pourquoi certaines autres personnes donnent toujours l'impression qu'elles vivent un enfer sur terre ? Pourquoi tout a l'air de les accabler ? Comment expliquer que la vie semble toujours s'acharner sur elles ? Pourquoi la moindre petite épreuve devient pour ces dernières une catastrophe ? Vous en connaissez sûrement. Il y a peut-être des noms qui vous viennent en tête...

Elles se plaignent constamment, elles n'aiment pas leur travail. Ça fait des années qu'elles sont au même emploi, mais pas de danger qu'elles fassent des démarches pour améliorer leur sort. Elles préfèrent se plaindre.

Ces personnes sont constamment en train de se plaindre à propos de leur vie de couple, mais évidemment, ce n'est pas leur faute, non, c'est toujours la faute de l'autre si ça va mal.

Si elles ont des enfants, c'est sûr qu'elles ont des problèmes avec eux et à coup sûr, si elles sont malades, elles sont bien plus malades que les autres.

Bref, il n'y a jamais rien qui fait leur affaire.

Je me demandais alors s'il était possible qu'au moment de notre naissance, il y ait un tirage qui déterminerait ceux qui bénéficieraient d'une vie heureuse et comblée et ceux qui auraient plutôt une vie pénible et remplie d'embûches. Évidemment, je ne le crois pas.

Il y a effectivement des gens qui sont constamment des victimes, alors qu'il y en a d'autres qui se prennent en main, indépendamment des évènements qui leur arrivent.

Pour remédier à cela, j'ai trouvé une seule façon de faire : « Changer notre perception des choses.» .

Je vous suggère donc quelques questions à garder en tête, afin de vous assurer de toujours voir les difficultés avec une certaine objectivité pour vous aider à changer votre perception.

1) Que puis-je apprendre de cette situation ?

2) Comment puis-je tirer partie de la situation ?

3) Quel est le bon côté de ce qui arrive ? (même lorsque c'est parfois difficile à voir)

Rappelons-nous une chose, dans chaque situation, aussi difficile soit-elle, nous pouvons apprendre quelque chose. Parfois, l'apprentissage est douloureux, mais il permet souvent de cheminer, de grandir. Repensez à certaines expériences difficiles que vous avez vécues. Avec du recul, vous avez peut-être réalisé que c'était la meilleure chose finalement qui pouvait arriver, ou encore, que vous avez grandi à travers cette épreuve malgré la difficulté que cela a pu engendrer.

N'oubliez jamais que la qualité des questions que l'on se pose détermine souvent la qualité des réponses que nous aurons.

Se dépasser, c'est aussi oser faire ce que l'on n'aurait jamais pensé être capable en raison de nos peurs, de nos appréhensions et de nos préjugés ! C'est aller plus loin, surmonter les obstacles et gravir la montagne !

Il arrive que face à certaines situations que l'on rencontre, nous ayons parfois de la difficulté à nous dépasser parce que nous voyons ce qui nous arrive comme étant très gros et bien effrayant. Certains sont passés maître dans l'art d'exagérer les difficultés qu'ils rencontrent, ils dramatisent ! Tout est catastrophique ! Est-ce que vous vous reconnaissez dans ce genre d'attitude ? Vous arrive-t-il de vous faire des scénarios ? Un grand problème avec les scénarios, c'est qu'un grain de sable peut rapidement prendre la proportion d'une grosse dune ! En gardant à l'esprit le désir de développer votre intelligence émotionnelle, d'améliorer vos perceptions et de vous dépasser, il vous sera fort utile d'apprendre à relativiser les événements qui se produisent dans votre vie, afin de les percevoir dans une juste perspective. La prochaine chronique vous aidera à dédramatiser les événements de votre quotidien, qui ne méritent pas que vous leur accordiez autant d'énergie !

N'oublions pas que d'avoir du succès, c'est aussi, d'avoir la capacité d'être heureux et par conséquent, de ne pas s'en faire outre mesure pour des banalités.

LE SUCCÈS PAR L'ART DE PRENDRE LA VIE AVEC UN GRAIN DE SEL

Posez-vous la question : « M'arrive-t-il de faire des montagnes avec des riens, d'exagérer mes problèmes ? ». Cette réflexion peut être réellement une grande source de liberté, si vous vous donnez l'occasion de faire des prises de conscience intéressantes !

Voici un exemple démontrant bien à quel point il est parfois facile pour certaines personnes de dramatiser. Un matin, alors que je déjeunais paisiblement, j'ai été témoin d'une situation assez particulière. J'étais assise au restaurant lorsque la serveuse a apporté à la dame assise à côté de moi, des saucisses plutôt que du bacon avec son déjeuner. C'est à ce moment que la crise a débuté. La dame a commencé à dire que ça n'avait pas de bon sang, qu'il était impossible de se faire servir correctement, que la serveuse était incompétente. Bref, on aurait dit que la fin du monde était arrivée ! En effet, une situation en apparence banale, de la saucisse au lieu du bacon, a dégénéré rapidement. Le grain de sable est effectivement devenu une grosse montagne ! Il aurait été beaucoup plus avantageux pour la dame de simplement s'adresser poliment à la serveuse et de lui demander de réparer l'erreur. Après tout, il est humain de se tromper ! Certains diront qu'au service à la clientèle, tout doit être impeccable. Effectivement, cela est souhaitable, mais il n'est pas réaliste de s'attendre à ce que tout soit toujours parfait. Il est vrai que nous ne savons pas ce que cette femme a vécu précédemment. Était-ce la dixième fois qu'on lui servait de la saucisse plutôt que du bacon ? Allons savoir ! Toutefois, ce que cette dame ne sait peut-être pas, c'est qu'en se laissant glisser dans l'émotion avec autant d'intensité, c'est à sa propre santé qu'elle nuit davantage ! Les études démontrent bien que les personnes qui ressentent beaucoup de colère et de stress sont plus susceptibles de vivre un arrêt cardiaque ou quelques autres maladies. Ainsi, afin de préserver une bonne santé, nous avons avantage à nous tenir loin de ces émotions désagréables.

Combien de fois passons-nous une magnifique journée, mais parce qu'il nous arrive un petit pépin, nous proclamons que toute la journée est gâchée ?

Il est important de se rappeler que toutes les fois où nous nous fâchons, nous puisons dans notre réserve d'énergie ! Pire encore, il est prouvé que lorsque nous ressentons des émotions négatives à des intensités très élevées, que ce soit du stress, de la colère ou n'importe quelle autre émotion négative, nous diminuons la résistance de notre système immunitaire.

Nous avons donc parfois tendance à dramatiser à outrance. En comprenant comment relativiser les choses et les événements, nous pouvons nous sentir mieux, presque instantanément.

Dans cette chronique, nous allons apprendre à nous poser les bonnes questions, afin de diminuer notre perception de la catastrophe et voir plutôt la réalité telle qu'elle est. En voyant les choses dans une perspective plus réaliste, il est possible, par la suite, de passer à l'action de manière plus appropriée. Tant et aussi longtemps que nous nous apitoyons sur notre sort et que nous voyons le mauvais côté des choses, nous diminuons notre capacité à penser clairement et notre capacité à trouver des solutions pour nous sortir d'une situation déplaisante. Lorsque l'on dramatise, c'est comme si on s'enfonçait la tête dans l'eau, alors qu'en relativisant, on arrive à se sortir la tête, à mieux respirer et à voir plus clair. Plus nous entretenons des idées négatives, plus nous les attirons dans notre vie. C'est ce que nous appelons en psychologie, le phénomène d'inhibition latérale. (Phénomène par lequel, ce qu'on entretient comme idée s'amplifie dans notre subconscient.). À ce sujet, le phénomène de la loi d'attraction, dont on parle de plus en plus, explique bien comment nos idées ont un impact dans notre vie.

Dans un premier temps, il convient de nous demander si la chose qui nous arrive est aussi catastrophique que nous le voyons. Ne sommes-nous pas en train d'exagérer les choses ? La plupart du temps, c'est ce que nous faisons. Saviez-vous que :

- 95% des scénarios que l'on se fait n'arrivent jamais.
- 95% des choses que l'on appréhende n'arrivent pas.

Cela veut dire que si vous repensez à toutes les fois où vous vous êtes fait du mauvais sang pour différentes raisons, c'était, la majorité du temps, de l'énergie gaspillée.

Si l'événement qui nous arrive est réellement frustrant et que nous ne disposons d'aucun moyen pour l'éviter, il vaut mieux l'accepter. Plus nous arrivons à l'accepter rapidement, plus nous parvenons à reprendre le contrôle de notre vie et vivons avec un état d'âme plus approprié.

Vous ne serez peut-être pas capable d'être heureux et d'avoir le sourire lorsque des événements un peu plus difficiles se présenteront, mais au moins vous n'aggraverez pas la situation en entretenant des idées complètement irréalistes.

Nous entendons souvent des gens dire: « Mon Dieu, ma vie est une catastrophe, tout va mal. » À la lumière de cet exemple, nous nous apercevons que certaines personnes ont tendance à se concentrer sur ce qui va mal, à proclamer que TOUT va mal, alors que la plupart du temps, beaucoup de choses vont bien dans leur vie. En fait, nous ne prenons plus conscience de ce qui va bien, parce qu'être en bonne santé, par exemple, ça va de soi pour plusieurs d'entre nous.

Souvent, nous nous demandons pourquoi nous sommes déprimés. Comment peut-il en être autrement quand nous proclamons que TOUT va mal, alors que ce n'est pas la réalité ? Lorsque vous avez l'impression que tout va mal, dressez par écrit la liste des choses qui vont bien (votre santé, la famille), ce que vous appréciez dans votre vie. De l'autre côté, écrivez ce qui va réellement mal. Au moment de la comparaison, vous ferez le constat que finalement, TOUT ne va pas si mal que ça.

Pour dédramatiser, posez-vous les trois questions suivantes:

1. Suis-je en train d'avoir la meilleure attitude pour faire face à cette situation ?
2. Est-ce vrai que c'est l'enfer ? Que c'est la fin du monde ?
3. Qu'est-ce qui aurait pu arriver de pire ?

Il est vrai qu'il n'est pas agréable d'être pris dans un bouchon de circulation, mais est-ce vraiment l'enfer ? Il est vrai que ce n'est pas souhaitable d'avoir une contravention, mais est-ce réellement la fin du monde ?

Ces trois questions permettent de relativiser les situations. Rappelez-vous toujours le proverbe suivant :

« C'est en se posant les bonnes questions qu'on obtient les bonnes réponses. »

L'exercice suivant se nomme l'échelle de la catastrophe. Il vous aidera à relativiser les événements de votre quotidien, afin d'éviter qu'ils ne prennent inutilement des proportions catastrophiques. De plus, en vous posant les questions proposées, vous arriverez à diminuer l'intensité de vos émotions désagréables et ainsi à reprendre votre pourvoir personnel. Vous arriverez à surfer avec la vague, plutôt que de vous laisser envahir par celle-ci ! Évidemment, cet exercice n'est pas à utiliser, vous en conviendrez, dans le cas où une personne vivrait un événement réellement grave. Par exemple, si un homme perd ses trois enfants et sa femme dans un incendie, nous n'irons pas lui demander ce qui aurait pu arriver de pire !

L'ÉCHELLE DE LA CATASTROPHE

Prenez un événement récent que vous avez jugé comme étant catastrophique, où vous avez dramatisé.

_____

_____

_____

Sur une échelle de 0 à 10, à combien placez-vous cet événement si :

0= Pas grave du tout, 10 = Très grave.

| 0 | 5   10 |

Ensuite, questionnez-vous sur ce qui aurait pu arriver de pire !

_____

_____

_____

Ensuite, pire encore !

_____

_____

Faites cet exercice jusqu'à ce que vous arriviez à voir l'événement dans sa juste perspective. Ainsi, vous serez en mesure d'agir plus adéquatement afin d'y faire face.

Maintenant, en comparant avec ce qui pourrait arriver de pire, à combien placez-vous cet événement sur une échelle de 0 à 10 ?

| 0 | 5   10 |

Quels événements de ma vie ai-je dramatisés sur le coup et qui, avec du recul, me semblent aujourd'hui moins graves ?

_____

_____

_____

Autant qu'il peut être facile de dramatiser les événements du quotidien, il peut être tout aussi facile de tomber dans des excès de colère. Pourquoi me direz-vous ? Tout simplement, parce qu'il y a, en chacun de nous une partie qui prend plaisir à ce que les gens se conforment à ce que nous croyons être bien et correct. Cette partie peut être plus ou moins présente et cela peut varier en fonction du contexte. En effet, certaines personnes ont des principes auxquels elles tiennent fortement concernant par exemple, leur travail, leur conjoint, leur enfant et la famille, etc. Quand leurs principes ne sont pas respectés, cela leur donne l'occasion de se sentir agacés (ce qui représente une émotion de la même famille que la colère). Nous verrons dans cette chronique quelles sont les idées responsables de la colère et comment les modifier. Pour les personnes qui croient ne jamais vivre de colère, ce qui serait surprenant, prenez simplement soin de porter attention aux idées associées à la colère. Parfois, certaines personnes ne sont tout simplement pas conscientes que l'émotion qu'elles ressentent est dans la famille de la colère. Ce sont les idées entretenues qui nous permettent d'en conclure ainsi. Il est fréquent d'entendre « je suis triste », alors qu'au fond, en fonction des idées entretenues, la réelle émotion est la colère.

Je vous invite donc à être bien attentifs, vous pourriez découvrir des choses très intéressantes !

Les succès ne frappent jamais au hasard : ceux qui réussissent, ceux qui gagnent sont d'abord des personnes qui ont cru en elles.

[Dominique Glocheux]

LE SUCCÈS PAR LA GESTION DE SES ÉMOTIONS

Une grande majorité de gens croit que la colère est libératrice. Cette croyance est fausse et elle existe puisqu'en effet, lorsque l'on ressent une grande colère, de l'adrénaline est libérée à l'intérieur de nous. Cette adrénaline représente une grande quantité d'énergie qui doit absolument être évacuée, d'où le besoin d'adopter des comportements brusques. Ainsi, suite à ces comportements brusques qui auront servis à libérer l'adrénaline, il y aura une impression de sensation de libération, mais le tort aura déjà été créé. C'est-à-dire que l'adrénaline, dans notre sang, est néfaste pour la santé. Ainsi, le bienfait associé à sa libération est peu bénéfique, comparativement au tort que celle-ci crée lorsqu'elle est présente dans notre corps. De plus, il est malheureux de constater que l'extériorisation de la colère nous mène souvent à adopter des comportements inadéquats. Sous l'effet de cette dernière, nous pouvons dire des choses qui dépassent notre pensée ou poser des gestes que nous nous reprocherons par la suite.

Le fait de se laisser aller à la colère dans un environnement contrôlé (crier seul, donner des coups dans un sac d'entraînement, etc.) permet de libérer l'adrénaline présente à l'intérieur de notre corps et peut, d'une certaine façon, être bénéfique, mais la plupart du temps ce n'est pas ce qui se produit. Nous nous laissons plutôt aller à nos excès de colère face aux personnes de notre entourage.

La colère se manifeste lorsque nous entretenons les idées spécifiques suivantes :

- Cette personne n'aurait pas dû agir ainsi OU
- Cette personne aurait dû agir autrement OU
- Cette personne n'a pas le droit de faire ce qu'elle fait.

Il est possible que les mots que vous utilisiez soient un peu différents, mais la pensée de fond sera nécessairement la même, chaque fois que vous éprouvez de la colère et ce, peu importe qui vous êtes !

À ce moment là, quand nous sommes en colère, nous croyons (à tort ou à raison) que l'autre devrait se comporter autrement. Mais si nous y pensons quelques instants, est-il réaliste de penser que l'autre doit absolument agir selon nos désirs ? Qui sommes-nous pour avoir de telles exigences ?

Prenons un exemple concret :

Jean est en colère contre son collègue de travail, car il croit qu'il aurait dû terminer le document qu'il devait remettre hier soir. Il pense que son collègue aurait dû rester plus tard pour terminer son travail.

Plus Jean entretient ces idées, plus la colère monte en lui, si bien que lorsque son collègue arrive, il l'invective en lui proliférant un tas de bêtises.

Est-ce que Jean a atteint son objectif en agissant de la sorte ? Est-ce qu'il contribue à entretenir de bonnes relations de travail avec son collègue ? Est-ce que Jean se fait du bien à lui-même lorsqu'il se laisse emporter de la sorte ? Évidemment, NON.

N'oubliez jamais que lorsque vous vous laissez emporter par des émotions négatives très fortes, vous allez puisez directement dans votre énergie. Vous diminuez votre capacité de réagir adéquatement, car vous n'arrivez plus à être objectif. Vous êtes submergé par vos émotions.

Dans une pareille situation, vous avez avantage à vous poser les bonnes questions, qui vous aideront à modifier vos idées irréalistes du départ.

Voilà le genre de questions que Jean aurait eu avantage à se poser :

- Est-il vrai que mon collègue aurait dû rester plus tard pour terminer son travail ?
- Y a-t-il une loi qui l'obligeait à rester pour terminer son travail ?
- Qui suis-je pour exiger de mon collègue qu'il agisse selon mes désirs ?

Évidemment, en se posant ce genre de questions, Jean aurait sûrement pu diminuer quelque peu l'intensité de sa colère. Par conséquent, il aurait été en mesure d'aller discuter avec son collègue afin de clarifier la situation. Il aurait ainsi augmenté ses chances d'atteindre son objectif; il aurait aussi contribué à entretenir de meilleures relations de travail avec ce dernier et finalement, il n'aurait pas utilisé son énergie de manière négative mais plutôt de manière constructive.

J'en entends déjà certains dire que c'est plus facile à dire qu'à faire ! Qui a dit que ce serait facile ? Je ne vous dis pas que c'est simple, je vous dis que c'est toutefois fort utile de se poser les bonnes questions. Essayez ! Vous n'avez rien à perdre.

Il est important de réaliser que ça ne veut pas dire que vous serez toujours d'accord avec la façon d'agir de l'autre, mais au moins, si votre colère est contrôlée, vous serez en mesure de discuter sans hostilité pour tenter de régler la situation. Vous serez donc beaucoup plus crédible !

En terminant, je vous invite à expérimenter cette technique pendant les 7 prochaines journées.

Lorsque quelqu'un de votre entourage agira d'une manière différente de ce que vous croyez être correct, posez-vous les trois questions suivantes :

- Est-il vrai que l'autre n'aurait pas dû agir comme il l'a fait ? (ou aurait dû agir autrement ?)
- Y a-t-il une loi qui l'oblige à agir ainsi ? (ou qui lui interdisait d'agir comme il l'a fait ?)
- Qui suis-je pour exiger de l'autre qu'il agisse selon mes désirs ?

Pourquoi me direz-vous ? Car on ne peut espérer avoir des résultats au niveau émotif et comportemental que si l'on applique ce que l'on apprend. Une grande majorité de gens ont lu une multitude de livres en pensant que c'était plein de bon sens, mais ne l'on pas appliqué. Prendre son argent et la jeter par la fenêtre est à peu près équivalent.

Vous devez tenter le coup, c'est la seule façon d'avoir des résultats. C'est par l'expérience concrète que l'on intègre les apprentissages. Ainsi vous pourrez développer votre intelligence émotionnelle et vous en faire réellement une seconde nature. N'oubliez pas que lorsque nous parlons de succès, nous parlons aussi d'avoir du succès dans nos relations et le fait de gérer sa colère et d'agir plus adéquatement envers les autres aide grandement à la qualité des nos relations.

En conclusion, l'attitude souhaitable ou plutôt l'option intéressante à choisir avec la colère est l'acceptation. Lorsque vous êtes en mesure d'accepter les situations que vous ne pouvez modifier, vous êtes nécessairement dans un état beaucoup plus agréable, positif et favorable que la colère. Il est important de se rappeler qu'accepter ne veut pas dire être d'accord. De plus, l'acceptation vous amènera nécessairement à vous dépasser.

Il n'y a pas seulement la colère qui est mauvaise conseillère, le stress aussi peut le devenir. Bien qu'il existe une certaine quantité de stress qui soit optimale, c'est-à-dire associée à des émotions positives, stimulantes et motivantes, lorsque celle-ci dépasse notre niveau de tolérance, qui est propre à chacun, le stress devient négatif.

À ce moment-là, le stress a nécessairement des conséquences négatives, telles que maux physiques, fatigue, difficulté à se concentrer, etc., et ce dans les différentes sphères de notre vie. Il est commun de nos jours d'entendre parler du stress associé au milieu du travail. De plus en plus de personnes se disent stressées. On comprend facilement pourquoi des termes comme l'épuisement professionnel et le burnout ont gagné tant de popularité au cours des dernières années ! La prochaine chronique vous aidera à démystifier le burnout, à faire des prises de conscience afin de dire: Non merci au burnout !

> *N'essayez pas de devenir un homme qui a du succès. Essayez de devenir un homme qui a de la valeur.*
>
> *[Albert Einstein]*

LE SUCCÈS PAR LA REPRISE DE SON POUVOIR PERSONNEL

Tout d'abord, j'ai une question à vous poser : combien pensez-vous qu'il y a de québécois qui sont près du burnout présentement ? La revue dernière heure révélait en date du 8 septembre 2006 qu'il y aurait près de 800 000 québécois au bord du burnout. Ce n'est pas rien, au contraire, ces statistiques sont alarmantes ! Pourquoi ne pas en profiter, à la lumière de ces chiffres, pour amorcer individuellement des petits changements dans notre propre quotidien ? Ce sont les petits pas dans la bonne direction qui finissent par avoir de grands impacts. C'est donc l'invitation que je vous lance.

Je vous invite à porter une attention particulière à la mise en situation suivante. Est-ce que ça vous rappelle quelqu'un ? Peut-être vous-même ?

Certains matins, vous avez les bleus ! Dès que votre réveil matin sonne, vous implorez le ciel que ce soit samedi. Difficilement, vous réussissez à vous tirer du lit, réalisant que vous êtes autant fatigué que vous ne l'étiez au moment où vous vous êtes couché.

Arrivé au travail, vous ne faites qu'attendre que la journée passe ! Vous comptez les demi-heures ! Une pile de dossiers attend d'être traitée, vous angoissez à la simple idée de commencer...

Pourquoi endurer d'être malheureux au travail ? Pourquoi rester dans un environnement qui nous gruge à l'intérieur petit à petit ? Pour une soit disant sécurité, parce qu'on n'a pas le choix ? À mon avis, on a toujours le choix. Par contre, il n'est pas toujours facile à faire me direz-vous ! J'en conviens. Cependant, il n'est pas plus facile d'endurer une situation dans laquelle on est malheureux, stressé et non motivé. De plus, des circonstances semblables pourraient vous conduire directement au burnout !

Nous passons en moyenne 35 à 40 heures par semaine au travail...c'est environ 1800 heures par année... C'est le tiers de notre vie, mais certains endurent quand même d'être malheureux. En plus du stress, l'épuisement professionnel vient aussi souvent du fait qu'une personne continue à faire un travail qui ne lui convient plus, qui ne respecte pas ses priorités.

L'épuisement professionnel est défini comme un syndrome de détresse psychologique intense lié au travail, à un investissement professionnel excessif et caractérisé par trois manifestations :

- Une grande fatigue émotionnelle;
- Une attitude cynique et détachée envers son travail;
- Une baisse importante du sentiment d'accomplissement dans le travail.

Ainsi, l'épuisement professionnel, plus communément appelé *burnout* est un état qui nous rend, consciemment ou inconsciemment, incapable de soutenir nos obligations journalières avec notre énergie et notre enthousiasme habituels. Voilà donc des indices importants que l'on doit écouter avec vigilance et que l'on a avantage à respecter.

Un facteur important qui semble donc, entre autres, lié à l'épuisement professionnel est le stress. Reconnaître les signes de l'épuisement professionnel est une chose, savoir gérer le stress en est une autre.

Les statistiques démontrent également qu'au moins une personne sur quatre de la population québécoise rapporte éprouver de la détresse psychologique. La bonne nouvelle, c'est qu'il existe une panoplie d'outils afin d'apprendre à mieux gérer le stress.

Je vous en propose un, qui vous permettra de diminuer l'intensité de votre stress :

Cet outil est appelé la confrontation des idées. Nous devons tout d'abord réaliser que le stress, (l'anxiété) est composé de deux émotions. Premièrement, de peur et en second lieu, d'impuissance.

Lorsque l'anxiété nous envahit, c'est que nous entretenons à la fois deux types d'idées :

- Un danger ou un ennui me menace, et de façon parallèle,
- Je me sens impuissant face à la situation.

Il convient alors de se poser deux questions :

1) Est-ce que ce que j'appréhende (le danger ou l'ennui) est réel ou potentiellement réel ?

Une petite note pour préciser qu'il arrive fréquemment que la réponse à cette première question soit positive, sinon à quoi bon vous stresser ! Ce qui est important, c'est de passer à la deuxième question. Elle vise à diminuer le sentiment d'impuissance qui vous rend si inconfortable. L'objectif est d'augmenter votre sentiment de confiance et votre sensation d'être capable de supporter ce que vous appréhendez, même si cela peut être pénible et non souhaitable.

2) Est-il exact que je suis plus ou moins capable d'y faire face ?

L'idée qui sous-tend cette deuxième question, selon l'approche émotivo-rationnelle, est qu'à part notre propre mort, nous pouvons tout supporter. Un peu catégorique penserez-vous, toutefois, c'est la réalité. Les situations difficiles, pénibles et non souhaitables sont tout de même supportables ! En vous répétant cette idée, vous allez nécessairement réussir à diminuer le sentiment d'impuissance qui vous paralysait !

Dans la majorité des cas, en me posant ces deux questions, j'arrive à entrevoir ma situation différemment. Il est important de se rappeler que dans 95 % des cas, ce que nous appréhendons n'arrive jamais. Ce sont des scénarios que nous alimentons sans cesse mais qui, heureusement, n'arrive pas. De plus, même si ce que nous craignons arrive, nous avons aussi avantage à être conscient que dans la majorité des cas, nous pouvons y faire face. Nous disposons, la plupart du temps, des ressources pour affronter la situation.

Voici un exemple concret de l'utilisation de ces deux questions. Supposons qu'une personne est stressée concernant un mandat précis qui lui a été confié par son employeur. En se posant la première question : Est-ce que ce que j'appréhende (le danger ou l'ennui) est réel ou potentiellement réel ?, d'une part, elle identifie concrètement l'objet de sa peur et elle détermine si celle-ci est réelle. Il se peut qu'elle ait peur de ne pas respecter l'échéance demandée et que le danger soit réel, puisque cette personne sera à l'extérieur du bureau durant trois jours. À ce moment-là, plutôt que de rester paralysée par le stress, elle a déjà une piste de solution intéressante, soit de rencontrer son patron pour discuter des différentes priorités. Si ce n'est pas possible, en se posant la deuxième question elle réussira à diminuer l'impuissance qu'elle ressent: Est-il exact d'affirmer que je suis plus ou moins capable de faire face à cette situation, c'est-à-dire ne pas respecter l'échéance demandée ? Évidemment, il n'est pas agréable de ne pas respecter une échéance, toutefois personne n'en meurt. J'en conviens, les conséquences peuvent parfois être désagréables et non plaisantes, mais elles sont certainement supportables. Un discours intérieur comme celui-là est beaucoup plus réaliste. Affirmer que c'est la catastrophe, la fin du monde et qu'il n'y aura pas moyen de s'en sortir, c'est se prendre au piège et être susceptible de ressentir un stress intense. Une des difficultés, c'est que quand le stress atteint une intensité élevée, il est moins facile de changer son discours intérieur. Je vous invite donc à vous pratiquer à changer votre discours intérieur et ce, le plus rapidement possible, avant que l'émotion soit trop intense.

En résumé, le fait de se poser ces deux questions permet de diminuer l'intensité du stress ressenti, en regardant la situation beaucoup plus objectivement. Je vous invite donc à développer la nouvelle habitude de vous poser ces deux questions lorsque vous ressentirez les premières manifestations du stress vous envahir.

Comme je le dis souvent et je me permets de le répéter : Posez-vous les bonnes questions pour obtenir les bonnes réponses !

EXERCICE : CONFRONTER SES IDÉES

Situation : (Nommez la situation qui a été pour vous une source de stress)

Questions :

1) Est-ce que ce que j'appréhende (le danger ou l'ennui) est réel ou potentiellement réel ?

2) Est-il exact d'affirmer que je suis plus ou moins capable d'y faire face ?

La chronique précédente a mis en lumière certains liens possibles entre le stress et l'épuisement professionnel, tout en mettant à votre disposition un outil concret, soit des questions spécifiques ayant pour but de vous aider à confronter vos idées. La confrontation des idées est un exercice qui consiste simplement à remettre en question les idées qui nous causent des émotions désagréables, c'est comme une gymnastique mentale ! De plus, il importe de s'intéresser au fait que l'épuisement professionnel est fréquemment rencontré chez des personnes qui n'ont pas respecté leurs priorités. On constate un déséquilibre entre ce qui est important pour ces personnes, soit leurs valeurs de référence et leurs activités réelles. Concrètement, cela signifie qu'il y a un écart important entre ce que ces personnes aimeraient faire, qui les rendraient heureuses et ce qu'elles font réellement. Ainsi, la prochaine chronique vise à vous sensibiliser à l'importance de respecter vos valeurs de référence et donc vos priorités.

Le succès n'est pas un but mais un moyen de viser plus haut.

[Pierre de Coubertin]

LE SUCCÈS PAR LE RÉTABLISSEMENT DE NOS PRIORITÉS

STATISTIQUES :

- Selon un sondage effectué en 2005, 73% des gens disaient avoir de la difficulté à concilier leur vie familiale et leur vie professionnelle.
- 60 % des consultations chez le médecin sont motivées par des facteurs liés au stress.
- 2 personnes sur 3 ont toujours l'impression de manquer de temps.
- 1 personne sur 3 vivra un épuisement professionnel au cours de sa vie.
- Parmi les médicaments les plus utilisés dans les pays occidentaux, la majorité vise à traiter des problèmes directement reliés au stress : antidépresseurs, anxiolytiques, somnifères.

À la lumière de ces statistiques, nous constatons que bon nombre de personnes auraient intérêt à revoir leurs priorités.

> **Nous parlons du succès dans cet ouvrage et une des conditions essentielles au succès est d'être aligné sur ses priorités.**

La famille, le travail, la santé, l'aspect social et les loisirs, le développement personnel et les autres tâches quotidiennes sont autant de sphères de notre vie dans lesquelles nous pouvons investir notre temps.

Nous disposons tous de 168 heures dans une semaine. À nous de les utiliser selon ce qui est important pour nous. Ce qui est important pour nous correspond à nos valeurs de référence.

Malheureusement, dans la réalité, bon nombre de personnes ont l'impression d'investir leur temps au mauvais endroit, ce qui les amène à vivre une insatisfaction perpétuelle.

Que faire lorsque l'on vit ce genre de situation ? Nous allons découvrir que nous avons avantage à revoir le temps investi dans chacune des sphères afin de s'aligner sur nos priorités. Je vous invite donc à faire l'exercice qui suit, qui s'intitule : Déterminez vos priorités.

Cet exercice vous permettra de déterminer quelle proportion du temps vous accordez à chacune des différentes sphères de votre vie. De plus, la dernière colonne, celle de droite, vous permettra d'identifier s'il existe, dans l'une des sphères de vos activités, un écart important entre ce que vous souhaiteriez et votre état actuel. Si tel est le cas, il est important de considérer cet écart, de même que si vous notez un déséquilibre. Rappelez-vous, la façon dont vous gérez vos priorités et votre temps a un impact sur votre bien-être et une incidence sur le stress vécu. Pourquoi ? Simplement parce qu'à l'intérieur de vous, vous aimeriez être ailleurs. Souvent, les personnes insatisfaites et malheureuses le sont parce qu'elles ne respectent pas leurs priorités, elles se sentent donc coincées.

Imaginez que vous êtes âgé(e) de 80 ans. C'est le jour de votre anniversaire et on vous a organisé une fête surprise. Tous les gens que vous avez aimés dans votre vie se sont réunis pour vous rendre un hommage.

Qu'aimeriez-vous que les gens disent de vous ? Qu'aimeriez-vous qu'ils disent à propos de votre contribution et de votre influence dans leur vie ? Qu'aimeriez-vous entendre par rapport à vos succès, à vos accomplissements ?

Réfléchissez bien. Vous pourriez être porté(e) à dire: « J'aimerais qu'ils disent de moi que j'étais une personne qui était présente pour eux...; Qui était à leur écoute... » Mais en même temps, vous avez travaillé très fort toute votre vie et n'aviez pas vraiment le temps d'être à l'écoute des autres. Ce que vous désirez ne reflète pas nécessairement votre vie et votre comportement quotidien.

Inscrire vos réponses dans l'espace suivant :

Que réalisez-vous à la lumière de cet exercice ?

ÉTABLIR L'ALLOCATION QUOTIDIENNE ET HEBDOMADAIRE DE SON TEMPS ENTRE LES **7** CATÉGORIES D'ACTIVITÉS HUMAINES

Ce tableau se veut un exercice de conscientisation, il n'en tiendra qu'à vous de poser les actions nécessaires, suite aux prises de conscience que vous aurez pu faire.

Attribuez pour chacune des catégories, combien d'heures par jour et semaine vous vous y consacrez. *Note* : il y a seulement 24 heures par jour et 168 heures par semaine.

Inscrivez par rapport à l'allocation actuelle, l'allocation que vous souhaiteriez à la place.

Activités	Lundi	Mardi	Mercredi	Jeudi	Vendredi	Samedi	Dimanche	Allocation actuelle (h/sem)	Allocation souhaitée
1. Travail									
2. Famille									
3. Santé									
4. Loisirs									
5. Volontaires									
6. Intellect (I)									
7. Autres (A)									
Déplacement									
Tâches ménagères									
Faire sa toilette									
Télévision									
...									
...									
...									
...									
TOTAL	24	24	24	24	24	24	24	168 h	168 h

Lorsque l'on réalise que l'utilisation de notre temps ne respecte pas nos priorités réelles, il est fréquent, tel qu'il en a été question plus tôt, de ressentir du stress. Quelles sont les conséquences de celui-ci dans notre vie ? Dans le but de se motiver à adopter des attitudes visant à diminuer le stress ressenti, la chronique suivante abordera l'impact du stress sur notre vie.

LE SUCCÈS PAR LA GESTION DE NOS ÉMOTIONS

Saviez-vous que...

-25% des gens ne prennent pas le temps de déjeuner le matin.

-Au cours des 25 dernières années, le nombre de personnes cumulant deux emplois a doublé.

-Une des premières causes de maladies cardio-vasculaires est le stress.

Il est en effet prouvé que le stress peut occasionner divers symptômes et engendrer diverses maladies, telles que l'insomnie, la haute pression, l'anémie et les maladies cardio-vasculaires, puisque la présence des hormones de stress dans notre sang affaiblit la résistance de notre système immunitaire. Passé la quarantaine, les maladies cardio-vasculaires présentent un vrai risque de santé. C'est d'ailleurs un des premiers facteurs de décès au Canada, parmi les personnes de 40 ans et plus. Les campagnes de publicité contre la cigarette sont fréquentes, il serait souhaitable qu'il y en ait pour le stress également. En effet, le stress s'avère être tout aussi dommageable pour notre santé que la cigarette.

Mieux vaut donc se surveiller pour prévenir tout risque...

Vous êtes à risque si...

• Vous avez eu un incident cardiaque, même mineur.
• Vous avez des problèmes de cholestérol, d'hypertension.
• Vous êtes en surpoids.
• Vous fumez ou avez fumé de nombreuses années.
• Vous aimez le vin, la bière, l'alcool, et en consommez à chaque repas.
• Vous ne faites pas de sport.
• Vous subissez ou avez subi un fort stress personnel ou professionnel.
• Vous êtes diabétique...

Si vous avez répondu OUI à une seule de ces questions, vous présentez un risque de maladies cardio-vasculaires.

LES STRATÉGIES POUR DIMINUER NOTRE STRESS ET AUGMENTER NOS CHANCES DE SUCCÈS

Comment arriver à faire face au stress et à diminuer ses effets négatifs ? En fait, chaque personne, selon le contexte dans lequel elle se trouve, choisira sa propre stratégie. Certaines tenteront de lâcher prise face à ce qu'elles vivent, d'autres auront tendance à éviter et à fuir les situations stressantes. Il est certain que le fait d'adopter des attitudes préventives minimisera l'impact dommageable du stress sur l'organisme.

Certaines attitudes contribueront à reprendre un certain contrôle sur notre vie et par conséquent, à réduire son stress, soit en remettant en question ses idées, en apprenant à exprimer ses besoins, à dire non, à accomplir une chose à la fois et prendre le temps de rire dans sa journée pour garder une distance avec les événements. L'humour est en effet un antidote excellent contre le stress, il nous aide à libérer les tensions et à nous détendre ! Adopter ces différentes attitudes positives et réalistes vous aidera à aborder les circonstances stressantes de manière plus décontractée.

Des changements simples à mettre en œuvre peuvent également être profitables. Par exemple, planifier son emploi du temps, de telle sorte qu'il tienne compte de la réalité, comme de ne tenir qu'un seul agenda et limiter les listes de choses à faire. L'apprentissage de la relaxation contribuera aussi à réduire son stress. Des méthodes favorisant le retour au calme intérieur, comme le yoga, les massages ou la méditation sont ici indiquées. La pratique d'une activité physique à raison de deux à trois fois par semaine procurera un état de relaxation, puisqu'il est prouvé que l'exercice stimule la sécrétion d'hormones tranquillisantes, les endorphines, dans le cerveau. Finalement, modifier certains aspects de son alimentation, tels l'apport en vitamines du complexe B qui maintiennent les glandes surrénales en santé et explorer les médecines alternatives et complémentaires, telles que l'homéopathie et l'acupuncture, sont autant de voies à explorer pour remédier au stress.

Gardons en tête que la notion de plaisir devrait être la pierre angulaire de toutes les stratégies que nous choisirons. Dès lors, le défi sera d'entreprendre des activités qui se transformeront en sources de contentement et de réconfort. Une prise de conscience au niveau de notre hygiène de vie est aussi essentielle; c'est-à-dire qu'il est important de voir à notre alimentation, afin d'éviter les aliments qui sont dévastateurs pour notre santé et qui nous enlèvent des nutriments au lieu de nous en donner. Dans cette catégorie, nous retrouvons entre autres, ceux qui contiennent beaucoup de gras saturés, tels que les aliments frits ou panés, le bacon, cretons et pâtés, beurre et crème, charcuteries, croustilles et frites, chocolat et crème glacée, croissants et pâtisseries; à exclure également, tous les gras hydrogénés tels que margarine, huile de coco ou de palme.

En outre, il n'y a pas de recette miracle pour vaincre le stress, il suffit de vivre une vie équilibrée et d'adopter, au quotidien, des habitudes de vie saines.

Quels sont les changements simples que vous vous engagez à mettre en œuvre pour améliorer la gestion de votre stress ?

➢

➢

➢

Autant que les impacts du stress sur notre vie peuvent être variés, tel que cela vous a été présenté plutôt, la façon de réagir à celui-ci l'est également. Il existe en effet, plusieurs façons différentes de réagir au stress. Bien que pour chacun, l'intention de vouloir s'adapter au stress soit bonne, les manières d'y arriver ne le sont pas forcément. Dans la chronique qui suit, sont répertoriées pour vous des exemples de réactions face au stress. De plus, un tableau vous sera présenté, regroupant six réactions typiques et négatives face au stress, ainsi que des pistes de solutions intéressantes à explorer.

Ma définition du succès est la suivante : le pouvoir qui permet d'acquérir ce que l'on attend de la vie sans violer les droits des autres.

[Andrew Carnegie]

LE SUCCÈS PAR LA GESTION DU STRESS

Faire face au stress se manifeste de diverses façons chez l'individu : manger sans arrêt ou, au contraire, cesser complètement de manger, souffrir d'insomnie ou trop dormir. D'autres personnes se sentiront constamment découragées, à plat, épuisées. Chez certaines, on assistera à des crises de larmes, d'autres seront totalement écrasées, ou à l'inverse, auront des réactions d'irritation, de colère. Et puis, il y a tous ces gens qui feront de la compensation et sombreront dans l'excès. Magasiner parce que l'on vit du stress; commencer à prendre un petit plus d'alcool (ça décompresse), jouer, aller au casino parce que cela fait du bien, cela calme... **Quelles illusions** !

Et que dire de ceux qui vont se tourner vers des cabinets de médecins pour se faire prescrire des antidépresseurs, des calmants, parce que de nos jours, il apparaît que « c'est *In* d'être sur le Prozac », certains parlent même de l'ère du Prozac ! Les antidépresseurs sont définitivement à la mode.

Saviez-vous que : Entre 1981 et 2000, le nombre total d'ordonnances s'est accru, pour tous les antidépresseurs, de 353%, passant de 3,2 millions à 14,5 millions.

*Source : M. Hemels, G. Karen et Teinarson, Increased use of antidepressants in Canada : 1981-2000. The annals of Pharmacotherapy, no 36 (2002), p.1375-1379.-

Des statistiques inquiétantes : en 2003, les Québécois ont fait remplir 5,1 millions d'ordonnances d'antidépresseurs par rapport à 2,5 millions en 1999, soit une hausse de 104 % en 4 ans. De plus, les dépenses des canadiens en antidépresseurs ont augmenté de 70 % entre 1999 et 2004.

*Source : Magazine Femme Plus, l'art de vivre juin 2006, Les hauts et les bas des antidépresseurs, par Johanne Mercier.

Et n'allez pas croire que c'est parce qu'aujourd'hui, les gens sont plus dépressifs. Cela semble davantage être une affaire de contexte social, les médecins sont surchargés, les gens sont à la recherche de solutions rapides, faciles et toutes faites. Voilà peut-être une partie d'explications aux impressions que dans certains cas, le crayon semble être pesant sur les prescriptions. Bien entendu, tous ne sont pas à mettre dans le même sac, beaucoup de médecins demeurent très consciencieux, malgré les difficultés que représente leur réalité (pression, exigences, attentes) alors que, malheureusement pour d'autres, la solution de facilité semble primer. Que voulez-vous, les hôpitaux sont tellement débordés ! C'est plus facile de régler le problème comme cela, étant donné les nombreuses contraintes imposées. De plus, cela s'avère plus rapide et plus efficace à court terme.

Questionnons-nous

Il est intéressant de s'arrêter quelques secondes pour penser à l'image, ainsi qu'aux messages qui sont transmis aux générations futures, à nos enfants, lorsque nous choisissons dans nos propres vies des solutions faciles et rapides ? Bien sûr, certaines pilules (pour dormir, par exemple) semblent plus efficaces à court terme. Mais quelles sont les conséquences à long terme ? En refusant parfois de mettre les efforts nécessaires face à des situations qui exigent du temps, pas étonnant de se retrouver face à des jeunes qui veulent tout, tout de suite ! On entend souvent que dans la société actuelle, on ne peut pas attendre. Pas le temps, cela doit être rapide ! Satisfaction immédiate ! Pensons aussi simplement à tous ces magasins qui offrent du financement permettant de se procurer des articles sur le champ et de les payer sur plusieurs années, par la suite. Ils auront le temps d'être abimés et démodés bien avant qu'on ait fini de les payer. Et oui, on peut se procurer un lecteur DVD, pour 1,67 $ par mois et ce, pendant seulement 36 mois ! Il ne s'agit pas de blâmer qui que ce soit, mais simplement de nous responsabiliser par rapport à ce que reflètent nos comportements.

Enfin, dans le but de conclure cette chronique sur les réactions face au stress, voici un résumé fort intéressant (voir tableau).

Réactions typiques :	Façons de les contrer :
1. **Dévalorisation des capacités à résoudre des problèmes.**	1. **Faire la liste de ses capacités et de ses ressources.** Se focaliser sur ses qualités. Répertorier ses points forts. Se poser des questions : « Lorsque j'ai vécu un problème, qu'ai-je fait ? Quelles sont mes aptitudes et mes qualités ? Quelles sont les ressources intérieures qui m'ont permis de résoudre ce problème ? »
2. Les **discours négatifs:** «Je n'y arriverai jamais; Je ne suis pas bon; J'ai fait une erreur, c'est l'enfer.»	2. **Se focaliser sur les succès.** Visualiser des souvenirs agréables, en pleine possession de ses moyens. Faire cesser ce discours intérieur continuellement négatif. Remettre en question ses croyances pour entretenir des idées plus réalistes.
3. **Croire qu'une situation stressante va se reproduire.** Croire qu'elle sera aussi pénible.	3. **Changer son discours intérieur.** Adopter des pensées stimulantes. Prendre les choses une à une lorsqu'elles se présentent. Avoir confiance en ses ressources. Ce qui est passé, est du passé. Se persuader qu'on peut réagir différemment si la situation se produit de nouveau.
4. **Déconnection du présent.** Fuite de la réalité. Se projeter dans l'avenir. Appréhender des choses. Ressasser des situations négatives du passé.	4. **Faire l'expérience du « ici et maintenant ».** Le « ici et maintenant » c'est regarder, écouter ceux qui nous entourent, prendre le temps de vivre l'instant présent car il ne reviendra jamais. Cesser de vivre dans le passé ou dans le futur.
5. **Exagération des difficultés.**	5. **Relativiser l'importance des enjeux.** Évaluer les conséquences réelles d'un événement appréhendé ? Dédramatiser plutôt que de faire une montagne de tout et de rien. Utiliser l'échelle de la catastrophe pour y voir plus clair.
6. **Victimisation.** Donner aux autres le pouvoir de nous causer des émotions. Projeter sur les autres certaines exigences et critiques.	6. **Se réapproprier son pouvoir sur soi.** Se responsabiliser par rapport aux événements, aux émotions.

Évidemment réagir au stress en consommant davantage de nourriture ou d'alcool ne sont que des solutions temporaires à des habitudes de vie stressantes, qui, si elles ne sont pas modifiées, demeureront permanentes. Alors pourquoi ne pas tenter d'agir sur son stress, en commençant par prendre soin de son corps ? Après tout, il est votre principal véhicule. Si vous le négligez, il ne sera plus là pour vous supporter dans vos différentes activités ! Malheureusement, chez certaines personnes l'importance de la santé physique semble être négligée. Peu importe les raisons qui ont conduit-là ces personnes, c'est toujours le bon moment pour revoir ses habitudes et les améliorer. Ce qui est intéressant, c'est qu'en agissant sur votre corps, vous allez contribuer nécessairement à améliorer votre bien-être psychologique ! Il s'agit d'un deux pour un intéressant, vous ne trouvez pas ? Je vous invite donc à vous laisser inspirer par les différents trucs et conseils proposés dans la chronique qui suit : Le succès par la santé ! De plus, avoir de saines habitudes alimentaires et autres correspond à un compte d'épargne, c'est-à-dire que vous disposerez de réserves d'énergie et d'anticorps pour vous protéger et dans lesquelles vous pourrez puiser en cas de stress plus important.

LE SUCCÈS PAR LA SANTÉ

- En 2004, 18% des enfants âgés de 2 à 17 ans avaient un surplus de poids et 8% étaient obèses, ce qui représente plus du quart des enfants. (Source : L'institut de Recherche en Santé du Canada.)

- Bien que notre cerveau ne représente que 2% de notre masse corporelle, il absorbe 20% de l'oxygène que nous respirons et 20% de l'énergie alimentaire que nous consommons.

- La prévalence de l'obésité est élevée (39%) chez les enfants (9 à 12 ans) provenant de 24 écoles de quartiers défavorisés et multiethniques de Montréal.

- Dans ces quartiers défavorisés, l'apport moyen en calcium chez les filles de 10 à 12 ans ne rencontre pas les apports nutritionnels recommandés.

De plus, une étude sur les problèmes nutritionnels et la performance scolaire a démontré que les écoliers de niveau élémentaire issus de milieux défavorisés présentent des risques de malnutrition à l'âge scolaire.

- Un écolier sur trois ayant des difficultés scolaires ne déjeune pas régulièrement, comparativement à un sur six chez les écoliers performants.

- Les écoliers ayant des difficultés scolaires consomment 25% plus d'aliments sucrés que les écoliers performants.

- Les écoliers turbulents, ceux qui manquent de concentration et/ou d'application, de même que ceux qui manifestent de la fatigue en classe, reçoivent plus souvent une alimentation inadéquate en minéraux et en vitamines.

- La qualité moindre de l'alimentation, l'omission du déjeuner et la dilution de l'apport nutritif par la consommation d'aliments sucrés sont des phénomènes associés à la faible performance lors des tests de mathématiques et de langue.

À la lumière des statistiques précédentes, on comprend davantage que des efforts soient déployés afin de sensibiliser la population aux bienfaits de développer de saines habitudes alimentaires. En effet, les réponses à la question « dis-moi ce que tu manges et je te dirai qui tu es » peuvent nous fournir bon nombre d'indices sur l'état physique de la personne, mais aussi et surtout sur ses conditions psychologiques.

Il apparaît, suite à divers résultats de recherches, que notre alimentation a un impact sur nos performances intellectuelles et qu'elle irait même jusqu'à affecter notre humeur. Pas étonnant qu'en absorbant une grande quantité d'aliments vides (c'est-à-dire sans aucun apport nutritif) nous perdons notre vitalité ! Pensons aussi aux gens qui deviennent irritables lorsqu'ils ont faim, cela témoigne bien des conséquences sur notre humeur ! Cela nous amène à faire des liens intéressants entre un équilibre alimentaire et un équilibre émotionnel.

CERTAINS FAITS INTÉRESSANTS

- Les neurones ont besoin d'être continuellement stimulés par une activité intellectuelle. Ils ont également besoin d'être nourris en permanence.

- Près de la moitié des glucides que l'on mange servent à alimenter notre cerveau.

- Pour bien nourrir notre cerveau, afin qu'il fonctionne efficacement (concentration, mémoire, analyse, humeur) 40 substances lui sont indispensables : 13 vitamines, 15 minéraux et oligo-éléments, 8 acides aminés, qui sont les maillons des protéines, et 4 acides gras.

- On dit que le seul aliment complet est le lait maternel ! Les 40 substances nécessaires au cerveau sont présentes dans une dizaine d'aliments. Il apparaît que selon nos modes de vie, une dizaine de jours est nécessaire pour atteindre notre équilibre alimentaire.

- Pour être transformé en énergie, le glucose doit contenir de la vitamine B1, que l'on retrouve dans les céréales, les légumes frais et secs, et les fruits secs.

- Le cerveau a aussi besoin d'oxygène. À cet effet, le fer est grandement lié aux capacités intellectuelles, car il transporte l'oxygène du sang au cerveau.

- Certaines études ont révélé que le quotient intellectuel des nourrissons dont la mère manquait de fer était plus faible.

- L'anémie, donc le manque de fer, se traduit par de la fatigue, une moindre résistance aux infections, ainsi que des troubles de la mémoire et une baisse des capacités scolaires (intellectuelles).

- On a constaté que les épinards apportent beaucoup de magnésium et de vitamine B9. Le magnésium limiterait la fatigue et contribuerait à lutter contre l'anxiété, alors que la vitamine B9 interviendrait dans la mémorisation.

- Aussi, les œufs apportent à faible coût des protéines de haute qualité, des acides gras essentiels, des vitamines A, B2, B5, B12 en quantités importantes.

- La **DIVERSITÉ**, voilà l'élément clé, surtout lorsque l'on sait que le cerveau à lui seul a besoin de 40 substances différentes.

- Choisir les aliments mentionnés qui augmentent nos capacités cognitives.

- Prendre le temps de manger de vrais repas, à table, en favorisant les aliments que vous préférez. Offrez plusieurs aliments sains à vos enfants et permettez-leur de faire des choix !

- Augmenter votre consommation d'aliments à forte valeur nutritive, donc peu transformés (fruits, légumes, produits laitiers), qui vous rendent de meilleure humeur.

- Diminuer les aliments riches en gras et à faible valeur nutritive, qui limitent vos performances intellectuelles et qui influencent votre humeur. Dans le livre, *Boîte à lunch emballante, recettes et astuces*, les auteures Marie Breton et Isabelle Émond, nous informent que dans un Whopper avec fromage de chez Burger King, il y a 730 calories et 46g de gras, soit l'équivalent de 9 cuillères à thé de beurre. Lorsqu'on y ajoute frites, boisson gazeuse et chausson, cela représente la ration de gras, de gras saturés et de sodium pour toute la journée.

Comme il est important de prendre soin de son corps et de sa santé physique, il est aussi primordial de préserver une certaine paix d'esprit. Cela n'est pas toujours facile à réaliser, à une époque où la vie va tellement vite. Certaines personnes ont la vilaine habitude de passer plus de temps à regretter leur passé ou à anticiper leur futur. Pourtant, où se situe notre pouvoir réel ? Dans le moment présent. Cela ne veut pas dire qu'il ne faut plus rêver et avoir des projets, bien au contraire. La réalisation de nos projets futurs dépend de notre attitude et de nos actions présentes. Ainsi, apprendre à vivre pleinement le moment présent représente une richesse incroyable. Cet état d'esprit vous aidera à coup sûr à diminuer votre stress, à vous sentir en paix, calme et détendu. De plus, c'est également une façon d'avoir l'impression de ralentir, car en effet, en étant tout le temps dans le futur, on ne voit pas le temps passer !

Je vous souhaite donc de profiter pleinement du moment présent et rassurez-vous, c'est un art qui se développe avec la pratique !

Tout le monde échoue une première fois. Si tu ne connais pas l'échec, comment pourrais-tu connaître le succès ?

[Andy Wachowski]

LE SUCCÈS : ICI, MAINTENANT

Comme on l'a vu précédemment, certaines personnes sont plus susceptibles de vivre du stress que d'autres. De plus, lorsque nous parlons de succès, nous parlons aussi d'atteindre un équilibre de vie afin d'être pleinement satisfait. Toutefois, on sait que pour ressentir moins de stress, il faut être capable de vivre le moment présent, mais cela peut être tout un défi pour bon nombre d'entre nous.

Tellement de gens sont passés maîtres dans l'art de se faire des tracas avec des événements passés ou à venir. On s'inquiète de ce qui est arrivé hier, on se dit que l'on n'aurait peut-être pas dû agir ainsi ou dire cela, ou encore, on appréhende ce qui va arriver demain ou dans les semaines à venir. On n'est jamais en train de vivre le moment présent. On finit ainsi par être constamment angoissé, et c'est tout à fait normal.

Combien de fois ai-je entendu dire : «Oh, ça ira mieux demain!» Demain ? On ne sait même pas si l'on sera encore de ce monde. Vous allez me dire : « Mais oui, c'est sûr que je serai encore là demain ». En êtes-vous si sûr ?

Mark Twain disait, avec l'humour qu'on lui connaît : « J'ai connu des moments terribles dans ma vie, dont certains se sont vraiment produits ».

Quelle belle phrase pour nous faire comprendre que les scénarios que l'on se fait, comme je l'ai déjà mentionné, ne se produisent jamais, 95% du temps. Dites-vous que 95% des choses que vous appréhendez ne se produiront jamais.

EXERCICE : VIVRE LE MOMENT PRÉSENT

Aujourd'hui, tentez de vivre le moment présent, de savourer chaque instant comme si vous viviez votre dernier jour.

Pour ce faire, plusieurs fois au cours de la journée (au moins cinq fois), posez-vous la question suivante : « Suis-je en train de savourer l'instant présent ? ». Vous pouvez vous aider en prenant de grandes respirations et en vous répétant : « Je suis ici et je savoure maintenant l'instant présent ». De plus, en vous concentrant sur chacun de vos gestes comme si c'était la première fois que vous les exécutiez, cela peut également vous aider à vivre le moment présent. Je vous incite même à redécouvrir les gens de votre entourage en les regardant comme si c'était la première fois que vous les rencontriez. Vous pouvez même préparer le souper comme si c'était la première fois, cela constitue un excellent entraînement qui vous permettra d'en profiter pleinement.

Vous prendrez rapidement conscience que très souvent, vous êtes perdu dans vos pensées, en train de revivre ce qui s'est passé hier ou de penser à ce qui arrivera demain. Il est important de se ramener ici et maintenant, au moment présent.

Bon moment présent!

Au tout début, il a été question des personnes qui ont du succès dans leur vie et ce, tant professionnellement que personnellement. Les différentes chroniques proposées vous ont aidé à mieux comprendre l'intelligence émotionnelle, ainsi que comment la développer davantage. De plus, le sujet du stress a été traité abondamment, puisque c'est actuel et que trop de stress dans votre vie aura beaucoup d'impacts.

Il importe aussi de souligner une autre caractéristique très importante des personnes qui ont du succès. Elles ont une vision claire de ce qu'elles veulent obtenir. Leur focus est aligné au bon endroit. Afin de préciser leur vision, les gens qui ont du succès ont appris à se fixer efficacement des objectifs. En effet, il n'est pas suffisant d'avoir un objectif. Pour qu'il se réalise, il est important qu'il soit formulé adéquatement. Ainsi, la prochaine chronique vous dévoilera les questions clés et les principes à respecter, afin de vous formuler des objectifs que vous serez en mesure d'atteindre.

LE SUCCÈS PAR LA DÉTERMINATION D'OBJECTIFS

Combien d'entre nous se fixons des objectifs sans toutefois les atteindre ? Combien de fois décidons-nous de nous prendre en main, que ce soit au niveau de notre santé (faire plus d'exercice, perdre les quelques livres qu'on a en trop) ou au niveau de la qualité de nos relations (passer plus de temps en famille) ou à quelque autre niveau que ce soit, pour se rendre compte par la suite que le naturel est revenu au galop ?

Nous réalisons parfois que nous sommes en train de passer à côté de nos aspirations, de nos rêves, de notre mission. En fait, si je ne me suis jamais penché sur la question de ma mission personnelle ou encore, si je l'ai fait mais que je ne fais pas tous les efforts pour la mettre en application, je n'obtiens pas nécessairement les résultats que je désirais et je peux avoir l'impression de passer à côté de quelque chose dans ma vie. Il devient dès lors important de se poser quelques questions fondamentales :

- Que voulez-vous exactement dans votre vie ?
- Quelles sont vos priorités ?
- Que désirez-vous accomplir ?
- Avez-vous des rêves ?
- Avez-vous des projets ?
- Ces objectifs sont-ils vraiment les vôtres ou vous ont-ils été imposés par un parent ?
  Par exemple : «Je suis devenu comptable, parce que mon père voulait que je sois comptable comme lui.»
- Vos rêves vous appartiennent-ils réellement ?

Combien de fois entendons-nous : « Oui mais, je n'ai pas le choix. Je n'ai pas le choix de travailler pour cette entreprise. Je n'aime pas mon travail, mais je n'ai pas le choix. Ça fait 15 ans que je suis là, je pourrai prendre ma retraite dans 10 ans, alors je vais endurer ».

C'est triste. Réellement, n'avez-vous pas le choix ? Évidemment, ce n'est pas une décision facile à prendre. Tout changement, que nous soyons malheureux au travail ou dans une autre sphère de notre vie, se planifie. Ce n'est pas une décision qui se prend du jour au lendemain, mais assurément, nous avons toujours le choix. Encore faut-il se doter d'outils et de moyens pour être capable de faire ses choix. La première question à se poser avant tout est : « Qu'est-ce que je veux vraiment ? ».

Pour mieux comprendre ce propos, rappelez-vous l'exercice de votre jour d'anniversaire et où nous vous avons organisé une fête surprise dans la chronique sur rétablir vos priorités en fonction de vos valeurs de référence. Qu'aimeriez-vous que les gens disent de vous ? Qu'aimeriez-vous qu'ils disent à propos de votre contribution et de votre influence dans leur vie ? Réfléchissez bien. Vous pourriez être porté à dire : « J'aimerais qu'ils disent de moi que j'étais une personne qui était là pour eux, qui était à leur écoute... ». En même temps, vous avez travaillé très fort toute votre vie et n'aviez pas vraiment le temps d'être à l'écoute des autres. Ce que vous désirez ne reflète pas nécessairement votre vie et votre comportement quotidien.

Nous pensons toujours à tort que nous aurons du temps plus tard. Nous vivons comme si nous étions éternels, mais la réalité est toute autre. Êtes-vous sûr d'être encore là demain pour dire à vos parents ou à vos enfants que vous les aimez ? Serez-vous encore là pour les épauler ? Personne ne sait. Nous souhaitons tous vivre le plus longtemps possible, mais la vie tout autant que la mort demeure un grand mystère.

Maintenant, reposez-vous la question :

Qu'aimeriez-vous entendre de la bouche votre entourage et commencez aujourd'hui à vous fixer des objectifs afin de vivre enfin la vie à laquelle vous aspirez.

L'exercice qui suit vous propose différentes questions qui vous assureront de respecter les critères d'un objectif formulé adéquatement. Il s'agit en fait d'un objectif formulé de façon positive (précisez ce que vous voulez, plutôt que ce que vous ne voulez pas), spécifique (précisez le contexte : quoi ?, quand ?, comment ?). Il est important d'utiliser des mesures quantifiables plutôt que qualitatives. Par exemple, je veux prendre du temps pour moi, combien de temps exactement ? Soyez généreux dans les précisions. Plus votre objectif sera spécifique, plus il sera facile à réaliser ! De plus, la réalisation de votre objectif doit dépendre de vous ! Aussi, assurez-vous de prévoir les inconvénients que la réalisation de votre objectif pourrait impliquer, afin de trouver au départ des solutions ! Il est également important que la formulation et l'atteinte de votre objectif respectent votre environnement, soit votre travail, votre famille, vos amis, etc. Par exemple, une mère de famille dont son objectif professionnel implique qu'elle devra déménager dans une autre ville aura avantage à considérer les impacts de ce déménagement chez ses enfants. Il sera important que cette femme apporte des solutions qui respecteront autant son objectif que ses enfants.

EXERCICE : SE FIXER UN OBJECTIF

1. Qu'est-ce que je veux ? (être spécifique : où, quand, comment, combien, etc.)

_____

_____

_____

2. Comment vais-je savoir que mon objectif est atteint ? Qu'est-ce qui sera différent ?

_____

_____

_____

3. Quels sont les avantages de l'atteinte de mon objectif pour moi et pour mon entourage ?

_____

_____

_____

4. Est-ce qu'il y a des inconvénients à l'atteinte de mon objectif pour moi ou mon entourage ?
Quelles sont les solutions à prévoir ?

_____

_____

_____

5. Si je ne change rien à ma situation actuelle que risque-t-il de se produire ?

_____

_____

_____

6. De quelles ressources (forces, qualités, personnes) ai-je besoin pour atteindre mon objectif ?

_____

_____

_____

7. Quelles sont les étapes à parcourir pour atteindre mon objectif et avoir du plaisir à le faire ?
Quelle est la première bonne étape ?

_____

_____

_____

> *Le succès, c'est d'avoir ce que vous désirez. Le bonheur, c'est d'aimer ce que vous avez.*
>
> *[H. Jackson Brown]*

La vie à deux ! Certains y rattachent des inconvénients majeurs, alors que d'autres y trouvent plutôt des avantages intéressants, toutefois, les bénéfices sont bien réels. Depuis le début de cet ouvrage, nous avons abordé différents thèmes nous permettant d'atteindre le succès tant au plan personnel que professionnel.

En ce qui concerne le bonheur à deux, il est important de savoir que les recherches démontrent que les gens en couple vivent plus longtemps et en meilleure santé physique et psychologique. Ces résultats sont expliqués par diverses raisons, dont l'impact positif du sentiment d'être aimé, accepté et compris. Également, il apparaît que la vie de couple offre une protection contre le stress et qu'elle donne l'occasion de vivre une sexualité régulière et agréable. Évidemment, il s'agit de moyennes et il est possible qu'une relation de couple ne soit plus satisfaisante !

À ce moment-là, c'est le temps de se questionner sur ses motivations personnelles de préserver une vie de couple insatisfaisante. De plus, malgré les aspects favorables que peut apporter la vie de couple, les statistiques concernant les taux de divorces sont alarmantes. Elles vous seront présentées au début de la chronique qui suit. Ces statistiques témoignent que la réalité du couple a beaucoup changé, de même qu'elle se transforme et qu'elle tend à s'adapter aux différentes époques.

Ainsi, différents facteurs servent d'explication au nombre grandissant de divorces et nous aident à comprendre pourquoi il est beaucoup plus accessible de nos jours. Tout d'abord, les attentes face au couple sont plus grandes qu'elles ne l'étaient autrefois : les conjoint(e)s souhaitent que le couple réponde à plusieurs de leurs besoins mutuels. C'est le phénomène de la génération du moi, une plus grande attention est portée aux besoins individuels. Les conjoints s'attendent aussi à plus de gratification, au partage des tâches, à une sexualité extraordinaire, ils ont le souci de bien performer au travail, d'élever leurs enfants adéquatement, etc.

On assiste également depuis quelques années à un changement des rôles. Les couples d'aujourd'hui se posent de nouvelles questions. Avant, les rôles étaient clairs et assignés et maintenant, ils sont plus confus. De plus en plus, on remarque la diminution du soutien tandis qu'autrefois, il y avait la famille élargie, l'église, le voisinage, etc. Il y a actuellement une montée de l'individualisme dans la société qui affecte inévitablement la vie de couple. L'accès au divorce est aussi plus facile, plus toléré et devient donc plus rapidement une option à envisager lorsque des difficultés sont rencontrées au niveau du couple.

Également, les valeurs ont été longtemps principalement prescrites par la religion. Aujourd'hui, les gens sont beaucoup plus libres et cette flexibilité de choix rend donc possible des différences entre les valeurs des conjoints, ce qui est très souvent source de conflits. Enfin, bien que cela soit quelque peu cliché, les problèmes de communication (déficience, critiques, attaque, etc.), y sont pour beaucoup lorsqu'un couple en arrive au divorce.

Le succès est un état d'esprit. Si vous voulez réussir, commencez par penser à vous en tant que gagnant.

[Joyce Brothers]

LE SUCCÈS PAR UNE VIE DE COUPLE RÉUSSIE :

DIX FAÇONS DE SE RENDRE AU DIVORCE

Nous parlons donc ici des relations de couple, un sujet qui, à mon avis, est très important à aborder lorsque nous rappelons les statistiques suivantes :

- Les chances qu'un premier mariage se termine par un divorce sur une période de 45 ans sont, selon ces auteurs, de 67% ! (Source : M. GOTTMAN, John et Nan SILVER. *The seven principles for making marriage work, 1999.*)

- Plus on avance en âge et que l'on reforme un nouveau couple, on a deux fois plus de chances que notre couple ne fonctionne pas et se solde par une séparation.

- Les trois principales causes de discordes sont, dans l'ordre : l'argent, l'éducation des enfants et la sexualité.

- La majorité (69%) des conflits conjugaux sont chroniques.

Cette chronique est un peu particulière, dans la mesure où mon but premier est de vous donner des outils pour améliorer vos relations de couple. Cependant, au lieu de vous mentionner quoi faire pour que tout aille bien, je vous élabore dix façons de vous rendre presque assurément au divorce ou à la séparation. Vous ne serez pas surpris de constater que l'une des recettes de succès en couple se trouve dans l'adoption de comportements complètement opposés à ce qui sera présenté. Ce qui est amusant avec le style de cette chronique, c'est que si vous vous reconnaissez dans l'un des points mentionnés, il est tout indiqué de modifier votre comportement, afin de préserver votre couple et non de vous rendre au divorce.

DIX COMPORTEMENTS NOCIFS (À ÉVITER) LORSQU'ON EST EN COUPLE

1. Commencez vos discussions abruptement par des commentaires négatifs, sarcastiques et des accusations.

Normalement, lorsque l'on agit de cette manière, l'autre personne se met sur la défensive et peut avoir tendance à agir comme nous.

2. Ne vous excusez jamais et n'admettez pas vos torts.

En d'autres mots, ne vous battez pas pour avoir raison à tout prix. Souvent, nous savons intérieurement que nous n'avons pas raison, mais l'ego ou l'orgueil nous fait refouler nos excuses.

3. Entretenez des souvenirs sélectifs négatifs et des pensées négatives.

Arrêtez de sans cesse ressortir les mauvais moments ou de réinterpréter le passé en termes négatifs. Exemple : Il y a cinq ans, tu m'as dit cela...

4. Laissez les problèmes traîner, sans chercher à les résoudre.

Ne croyez pas qu'ils se régleront par eux-mêmes en les mettant en dessous du tapis...

5. Cherchez à régler les problèmes insolubles à tout prix et revenez-y constamment.

Nous devons accepter qu'un accord commun ne se fera pas sur tous les sujets, car nous sommes des individus différents, avec des valeurs différentes et des façons de voir différentes.

6. Faites toutes vos activités ensemble, sans exception.

7. Essayez de changer l'autre pour qu'il (elle) devienne comme vous le voulez.

Nous aimons la personne pour ce qu'elle est. Il ne faut pas vouloir à tout prix changer les comportements qui nous irritent avec le temps.

8. Laissez la routine s'installer. Ne faites plus d'efforts.

Au début, on lui écrivait des petits mots doux dans son lunch, mais maintenant, on ne lui fait même plus de lunch !

9. Prenez-vous pour acquis.

10. Comptabilisez tout, tout, tout !

Pour conclure cette chronique, je vous partage une célèbre phrase que Salvador Minuchin, l'un des pères ou plutôt grand-père, fondateur de l'approche systémique en thérapie familiale, a dit lors d'une de ses conférences à Anaheim :

Tous les mariages sont des erreurs, que nous tentons ensuite de réparer; et certains d'entre nous y réussissent mieux que d'autres.

Cette affirmation peut vous paraître un peu pessimiste et décourageante, toutefois en allant au-delà des mots, elle nous permet de développer une vision plus réaliste de la vie de couple. En effet, le couple offre à coup sûr des occasions de s'améliorer personnellement en tant qu'individu, de plus il est important de garder en mémoire qu'il n'existe pas de modèles de relations de couples parfaites. Cependant, certains auteurs se sont penchés sur les aspects favorables à considérer afin de faire un succès de sa relation amoureuse. La chronique suivante vous exposera de façon résumée ces différents aspects dans le but d'amorcer des réflexions intéressantes sur vos façons de percevoir le couple.

LE SUCCÈS PAR UNE RECETTE GAGNANTE EN COUPLE

Avez-vous déjà remarqué que lorsque vous êtes dans une relation amoureuse saine et enrichissante, très souvent, les autres aspects de votre vie vont dans la même direction ? Nous savons aujourd'hui que le fait d'être comblé sur le plan affectif permet de concentrer nos énergies sur d'autres aspects de notre vie et de mieux nous épanouir. Mais puisque actuellement près d'un couple sur deux se sépare, être en couple aujourd'hui n'est donc pas nécessairement aussi facile que l'on pourrait le croire. En effet, l'amour entre les conjoints est important, mais on réalise que ce n'est pas tout : la qualité de la relation serait encore plus déterminante dans le succès d'une relation amoureuse. De plus, comment expliquer que bon nombre de gens se disent insatisfaits de leur vie conjugale ?

En quoi la communication représente-t-elle un défi de taille, et ce pour bien des couples ? Évidemment, répondre à ces questions pourrait être facilement l'objet d'un livre complet (ce qui sera possiblement le cas ultérieurement). Toutefois, certains auteurs se sont déjà penchés sur différentes pistes de solutions, afin de donner des clés pour réussir son couple. C'est le cas particulièrement de Howard Halpern, auteur du livre, « Choisir qui on aime ».

LES SIX INGRÉDIENTS

Selon cet auteur, il y aurait **six ingrédients** qui nous permettraient de distinguer une relation amoureuse saine.

1) Une relation amoureuse exige une **affection** et un **engagement** de la part des deux partenaires, qui doivent tenter de rendre leur relation aussi satisfaisante que possible.

2) Dans une relation amoureuse saine, il est souhaitable que les deux partenaires **soient disponibles** l'un pour l'autre.

3) Les partenaires qui vivent une relation amoureuse saine connaissent la joie et le confort qui découle du fait d'avoir un partenaire sur lequel ils peuvent compter au besoin. C'est ce qu'on appel le **sentiment de sécurité**.

4) Les personnes qui vivent une relation amoureuse ont souvent de **nombreux buts, points de vue et intérêts communs**, et ces similitudes approfondissent leur **intimité** et leur **joie d'être ensemble**. Évidemment, il ne s'agit pas d'aimer exactement les mêmes choses ou d'avoir des goûts totalement identiques, vous ne voulez pas avoir une copie conforme de vous-même. Il est effectivement important d'avoir de manière générale des intérêts communs, par exemple les enfants, les voyages ou le sport. Toutefois, il est agréable de pouvoir **s'enrichir** mutuellement des connaissances et des goûts différents de l'autre.

5) Les deux partenaires **s'apprécient eux-mêmes** et sont par conséquent en mesure **d'apprécier l'autre**. L'estime de soi apparaît donc comme une condition importante qui favorise la réussite de la vie de couple. Celle-ci peut s'avérer être une expérience positive qui contribue à augmenter une estime de soi déjà présente en soi, toutefois le conjoint ne peut à lui seul combler le besoin d'estime de soi de son partenaire.

6) Les partenaires ont de **l'admiration** pour l'autre et ne ressentent pas de mépris à l'égard de l'autre. Il y a une notion de **respect mutuel** au sein du couple.

Ne perdons pas non plus de vue qu'une relation saine est souvent empreinte de joie, de rire et d'humour. Si nous croyons à tort que la vie ne devrait pas être prise à la légère et que les comportements de l'autre sont source de conflits perpétuels, nous nous engouffrons dans un rôle où nous perdons notre pouvoir personnel. Lorsque l'on est en couple, on ne devrait jamais se demander : « Comment est-ce que je peux changer mon partenaire ? », mais plutôt : « Qu'est-ce que je peux changer personnellement afin d'améliorer ma relation ? » Voilà qui nous place dans une position où nous pouvons agir sur nos désirs.

Je vous laisse donc sur cette réflexion intéressante, tout en vous invitant à inscrire dans l'espace ci-dessous, lequel des six aspects présenté dans cette chronique vous souhaitez améliorer au sein de votre vie de couple. De plus, précisez comment vous comptez vous y prendre, c'est-à-dire quels gestes, actions ou paroles allez-vous poser concrètement, afin d'atteindre votre objectif ?

Les deux chroniques précédentes vous ont donné des pistes pour savoir quoi faire et ne pas faire en couple. Nous ne pouvons pas parler des relations de couple sans aborder la notion de conflits. L'une des principales croyances irréalistes concernant la vie de couple dont nous avons avantage à nous débarrasser est « qu'une relation de couple réussie ne souffre pas de désaccord », tel que le mentionne Dr. Phil, dans son excellent livre **Couple : la formule du succès**. Il est fréquent chez certains couples de penser qu'au moindre conflit leur relation est menacée et en péril. Il est très important de devenir à l'aise en couple avec la notion de conflits, puisque c'est normal.

L'auteur Pierre Morency, dans son livre Le cycle de rinçage, utilise une excellente image pour illustrer le conflit au sein du couple, mais surtout pour en dédramatiser sa présence. Il compare les deux conjoints à deux vêtements tâchés, tâchés de quoi ? De leurs histoires passées, tant familiales qu'amoureuses. Il est donc tout à fait normal que deux conjoints se chicanent, puisqu'ils sont tout d'abord différents en tant que personnes avec leurs goûts, intérêts et façons d'être. Puis le couple fournit une occasion idéale pour se rincer, c'est-à-dire devenir plus propre (on se rappelle qu'il compare les conjoints à deux vêtements tâchés) !

66

Ainsi, se rincer en couple signifie régler des difficultés, s'améliorer, devenir une meilleure personne.

Alors, plutôt que de percevoir le conflit comme quelque chose de négatif, vous avez maintenant la possibilité de la voir comme un élément positif qui contribuera à votre développement personnel. De plus, on note trois raisons précises pour lesquelles on aurait avantage à considérer les conflits au sein du couple comme un élément positif.

Voici ces trois raisons :

1. Ils permettent au couple de demeurer vivant, parce que chacun de ses membres reste préoccupé de combler ses besoins.

2. Ils permettent au couple de rester vivant en lui fournissant l'occasion de procéder à des ajustements qui bonifient la vie à deux.

3. Les affrontements sont autant d'occasions de s'assumer ouvertement.

Enfin, il a été démontré que ce n'est pas la fréquence des conflits qui détermine le succès d'une relation conjugale, mais bien la façon dont les conjoints se chicanent et comment ils arrivent à résoudre la situation, dans le respect des besoins de chacun. La chronique suivante vise à vous aider à mieux comprendre les différentes notions rattachées au conflit. Elle vous donnera par la suite des outils, afin que vous puissiez vivre les conflits au sein de votre couple d'une manière positive et constructive.

La plupart des gens abandonnent juste quand ils sont sur le point d'atteindre le succès. Ils abdiquent sur le dernier cent mètres. Ils abandonnent à la dernière minute du jeu, à un doigt de la victoire.

[Ross Perot]

LE SUCCÈS PAR LA RÉSOLUTION DE CONFLITS

Le conflit fait partie intégrante de la vie de couple et de la vie familiale. Nous avons toujours vu le conflit comme étant négatif, mais tel qu'il vous l'a été présenté précédemment, ce dernier peut s'avérer positif s'il est amené de façon constructive. Un conflit constructif, qu'est-ce que c'est ?

« C'est un désaccord, une mésentente sur un sujet de discussion qui est, par contre, traité dans le respect mutuel. »

Malheureusement, trop souvent, le conflit est abordé avec une certaine hostilité et c'est ce qui le rend nocif.

Évidemment, nous avons tous besoin de nous sentir aimés, respectés et compris par nos proches. Le conflit peut miner notre sécurité affective au point de faire en sorte que notre seule façon d'y réagir est de confronter l'autre pour avoir raison.

Comme nous l'avons mentionné précédemment, la façon de gérer le conflit fait toute la différence. Les couples qui règlent les conflits de façon constructive renforcent leur relation avec le temps, en améliorant l'intimité et la confiance.

Le conflit devient nocif lorsque les partenaires expriment leurs besoins en critiquant, en blâmant ou en rabaissant l'autre.

Les couples qui vivent un conflit permanent peuvent devenir agressifs entre eux. Certains couples gèrent le conflit en l'évitant. L'évitement d'un conflit peut aussi causer un éloignement des partenaires. Il est difficile de dire pourquoi certains couples entrent en détresse et d'autres pas, mais il est certain que la meilleure façon pour les couples de résoudre les conflits est qu'ils s'assurent mutuellement d'un soutien affectif.

Les conséquences d'un conflit sur les personnes et les familles sont énormes. Une des conséquences les plus graves d'un conflit relationnel est le divorce. La raison la plus souvent invoquée dans un divorce est le sentiment d'un manque d'amour.

1) Définir le problème

- Clarifier les besoins de chacun.
- Alternance de messages Je et d'écoute active.
- Si plus d'un conflit, dresser une liste de priorités.

2) Énumérer les solutions possibles

- Étape de créativité et de remue-méninges.
- Mettre les idées en commun et trouver une solution constructive.
- Éviter de juger ou de critiquer.
- Dresser une liste de solutions.

3) Évaluer ces solutions (avantages et inconvénients pour chacun)

- Avantages et inconvénients de chaque solution apportée.
- Évaluer le réalisme de chaque solution.

4) Choisir une solution acceptable pour tous

- Adoption et engagement de la solution choisie.
- Combinaison de plusieurs solutions.
- L'énoncer clairement.

5) Appliquer la solution

- Établir un plan d'action (quoi et quand).
- Méthode gagnant/gagnant = gens engagés vers la résolution du conflit.

6) Évaluer les résultats obtenus

- Efficacité de la solution.
- Satisfaction des besoins.
- Processus continu et ouvert : peut être amélioré.

N'oubliez jamais que le conflit est normal au sein du couple et de la famille. La façon de le gérer est importante et le conflit peut même s'avérer sain pour le couple s'il est bien traité.

SIX ÉTAPES

1. Définir le problème.

_____
_____
_____
_____

2. Énumérer les solutions possibles.

_____
_____
_____
_____

3. Évaluer ces solutions, avantages et inconvénients.

_____
_____
_____
_____

4. Choisir une solution acceptable pour tous.

_____
_____
_____
_____

5. Appliquer la solution.

_____
_____
_____
_____

6. Évaluer les résultats obtenus.

_____
_____
_____
_____

Cette manière différente de résoudre un conflit vous sera fort utile, dans le cas où vous vous trouverez en présence d'un conflit relationnel. Le conflit relationnel est celui où il est habituellement assez difficile d'obtenir la collaboration des personnes impliquées, puisque l'enjeu est au niveau du pouvoir et des émotions. Dans ces positions, il est plus facile de voir la faute chez l'autre et tout est occasion d'argumenter. De plus, le désir de comprendre la position de l'autre n'est pas très présent, par contre c'est une étape importante, voire nécessaire. Ainsi, l'exercice qui suit vise à vous aider à ressortir la motivation que la personne a envers elle-même d'agir comme elle le fait, c'est-à-dire son bénéfice personnel. Il est évident que si vous êtes en situation de conflits, le comportement de l'autre personne ne vous apparaît pas, dans un premier temps, positif ou favorable pour vous. Par contre, il est primordial de réaliser que quand une personne agit d'une façon, elle a forcément une intention positive face à elle-même. Ainsi, en découvrant l'intention positive de votre adversaire et votre propre intention positive pour vous-même dans ce conflit, vous arriverez certainement à le comprendre différemment. Le but est donc d'arriver à modifier votre perspective de la situation conflictuelle, afin que vous soyez en mesure de modifier vos sentiments et votre attitude et enfin de dénouer le conflit.

Voilà la manière de procéder, je vous propose de simplement répondre aux questions qui vous sont posées, afin d'amorcer chez vous une réflexion ainsi que des prises de conscience intéressantes. Une petite précision s'impose, c'est que malgré les émotions désagréables que vous pouvez ressentir en raison de l'existence du conflit, vous devez tout de même être habité d'une intention sincère de mettre fin à ce conflit. Je vous suggère afin de faciliter cette décision, de le faire au nom de quelque chose qui vous tient à cœur, par exemple au nom d'être une bonne personne, une bonne mère, un bon mari, etc. Cet exercice vous permettra d'avoir une motivation plus grande que vous, c'est-à-dire au-delà niveau auquel se situe le conflit, ce qui pourra s'avérer une source d'inspiration.

Première position :

Je me place dans ma position par rapport à la situation conflictuelle, je me représente la situation selon mon point de vue, mon cadre de référence.

Puis j'identifie quelle est mon intention positive en lien avec le conflit.

Mon intention positive est :

_____

_____

_____

_____

Deuxième position :

Je me place dans la position de l'autre personne par rapport à la situation conflictuelle. Je tente de me représenter cette situation selon son point de vue à elle. En me mettant à sa place, je me représente la réalité selon sa perspective à elle. Puis, j'identifie qu'elle est son intention positive.

L'intention positive de l'autre personne est :

_____

_____

_____

_____

Troisième position :

Considérant les intentions positives des deux parties, je me place en position d'observateur et je prends conscience de l'interaction entre les deux personnes.

Dans cette position d'observation, qu'est-ce que ce nouveau regard m'apprend de différent sur la situation conflictuelle ?

_____

_____

_____

_____

Existe-t-il une intention commune ?

_____

_____

_____

_____

Cet outil vous permettra de traiter le conflit de manière différente et plus constructive. Ne perdons pas de vue que le succès, c'est aussi de réussir sa vie à deux. Si nous arrivons à gérer nos conflits de manière plus posée et avec plus de délicatesse, nous solidifierons nos relations.

SAVIEZ-VOUS QUE...

Dans la section qui suit, vous retrouverez une multitude d'informations concernant diverses recherches effectuées sur le succès et sur le bonheur.

Ces recherches m'ont fascinée et je souhaite qu'il en soit de même pour vous !

Saviez-vous que...

Les personnes peu matérialistes ont plus de satisfaction dans leur vie

Plusieurs chercheurs s'entendent pour dire que les personnes qui sont peu matérialistes auraient plus de satisfaction dans leur vie que celles qui le sont beaucoup.

Les gens très matérialistes seraient presqu'autant heureux que ceux qui sont peu matérialistes, en autant qu'ils aient beaucoup d'argent et que leur style de vie n'entre pas trop en conflit avec d'autres valeurs ou besoins. Par contre, les matérialistes qui auraient moins d'argent et d'autres valeurs qui entrent en conflit avec leur quête pour gagner de l'argent (ce qui est la situation la plus fréquente), seraient plus malheureux que les autres. La relation entre le matérialisme et nos états mentaux est complexe.

Un grand nombre d'éléments permettent d'expliquer le prix à payer dans cette poursuite de la richesse. Une importante tendance à consommer peut nuire en raison du temps prélevé aux choses qui favorisent le bonheur, comme les relations avec la famille et les amis.

Les gens qui ont de fortes valeurs matérialistes ont tendance à être orientés vers des buts qui conduisent moins au bien-être, selon le psychologue Tim Kasser, auteur du livre *The High Price of Materialism" (MIT Press, 2002)* et coéditeur de *Psychology and Consumer Culture (APA, 2004)*.

Dans son livre, il présente des recherches qui démontrent que lorsque les personnes concentrent leur vie autour de valeurs telles que l'acquisition de biens, ils rapportent moins de satisfaction dans leurs relations, ils auraient une humeur plus maussade et plus de problèmes psychologiques. Kasser fait la distinction entre les valeurs extrinsèques, comme les possessions, l'image, le statut, les prix et la gloire, et les buts intrinsèques comme le développement personnel et le contact avec la communauté qui sont satisfaisants en soi.

Les personnes matérialistes ont très souvent, selon plusieurs recherches, des attentes irréalistes par rapport à ce que des biens de consommation peuvent apporter à leurs relations, leur l'autonomie et leur bonheur. Ils pensent qu'en faisant l'acquisition de certains biens, cela va changer leur vie pour le mieux.

Comme nous vivons tous dans la même culture de consommation, comment expliquer que certains d'entre nous développent de fortes valeurs matérialistes, alors que d'autres ne le font pas ?

Des recherches évoquent que l'insécurité financière et émotionnelle seraient deux facteurs importants. Lorsque certaines personnes grandissent en n'étant pas très bien traités par leurs parents ou en vivant dans la pauvreté, elles auraient malheureusement tendance à s'adapter en devenant plus matérialistes.

Une recherche publiée dans le *Developmental Psychology*, en 1995, était la première à le démontrer. Les adolescents qui présentaient les attitudes les plus matérialistes étaient plus pauvres et recevaient moins d'affection de la part de leur mère. En 1997, une recherche démontrait que les jeunes dont les parents étaient séparés avaient plus tendance à développer des valeurs matérialistes plus tard dans la vie.

Source: Adapté de L'American Psychological Association

Saviez-vous que...

L'anticipation du plaisir nous rend plus heureux !
Apprenez à prolonger votre plaisir !

Pourquoi est-il si difficile de vivre le moment présent ? Pourquoi notre cerveau s'acharne à nous projeter dans le futur ou à nous faire retourner dans le passé, alors qu'il y a tant de choses à penser aujourd'hui ?

Nous pourrions être portés à croire que c'est parce qu'il est agréable de penser à notre avenir, ou encore de rêvasser à nos bons souvenirs passés. Nous rêvons d'un avenir doré où nous n'aurions plus à nous soucier de l'argent, de notre retraite qui sera si agréable. Nous nous remémorons le jour de notre mariage ou une promotion que nous avons reçue il y a de cela quelques années.

Malheureusement, certaines personnes ont plutôt tendance à appréhender le futur ou à regretter le passé. Nous nous inquiétons de ce qui pourrait arriver, ou encore nous sommes pris dans notre passé à ruminer, en étant toutefois très conscient que nous ne pouvons pas changer le passé.

Quand on demande aux gens s'ils ont l'habitude de penser plus souvent au passé, au présent ou au futur, ils répondent : À l'avenir ! En effet, lorsque des chercheurs font l'inventaire des pensées en suspend dans le flux de conscience d'un individu moyen, ils constatent que presque 12% de nos pensées quotidiennes sont dirigées vers l'avenir. Cependant, plusieurs études scientifiques démontrent que lorsqu'on rêve à l'avenir, certaines personnes ont plutôt tendance à s'imaginer en pleine réussite ou en étant heureux. Par exemple, lors d'une étude sur notre propension à se projeter dans l'avenir, on a appris aux participants qu'ils avaient gagné un repas dans un restaurant de leur choix. Lorsqu'on leur a demandé s'ils désiraient prendre ce repas tout de suite, ce soir, demain ou dans une semaine, la majorité des participants ont répondu, la semaine prochaine.

Pourquoi se contraindre à ce délai ?

C'est très simple, en attendant une semaine pour profiter de ce repas, les participants n'allaient pas seulement passer quelques heures à savourer ce délectable repas, mais ils allaient imaginer pendant une semaine comment se déroulerait celui-ci. Cela contribuait à prolonger leur plaisir.

Anticiper le plaisir est une stratégie qui nous permet d'avoir deux fois plus de plaisir.

Ma mère me racontait récemment que lorsque j'étais petite et que nous habitions à l'extérieur de la ville, nous avions l'habitude d'aller voir ma grand-mère paternelle à toutes les deux fins de semaines. Ma grand-mère disait toujours : « Comme je suis comblée lorsque je sais que vous venez pour la fin de semaine, j'ai hâte de vous voir, je me prépare à vous accueillir et je me réjouis simplement à penser à votre arrivée. Lorsque vous arrivez, je profite des moments merveilleux en votre compagnie et lorsque vous repartez, j'en ai pour plusieurs jours à me remémorer les superbes moments que nous avons eus ensemble. Et déjà, par la suite, je recommence à me préparer pour votre prochaine visite et j'ai hâte de vous voir ! ».

Ai-je besoin de vous dire combien cette femme était heureuse ? Il faut avouer qu'elle avait le tour de se rendre heureuse.

Source : *Adapté du livre « Et si le bonheur vous tombait dessus. »*

SAVIEZ-VOUS QUE...

LA QUÊTE PERPÉTUELLE DE RICHESSE NOUS REND MOINS HEUREUX !

Les gens qui fondent leur vie autour d'une quête de richesse perpétuelle auraient tendance à être moins heureux.

Les recherches sur les rapports entre le bonheur et la richesse matérielle des psychologues E. Diener et D. Myers démontrent que les personnes sont plus heureuses s'ils vivent dans des pays riches plutôt que dans des pays pauvres. Toutefois, à partir du moment où ils ont suffisamment d'argent pour subvenir à leurs besoins de base comme se nourrir et se loger, l'argent ne contribuerait pas nécessairement à augmenter leur bonheur.

Il semblerait que ni les hausses de la croissance économique, ni les augmentations de revenus personnels n'auraient beaucoup d'impact sur le bonheur personnel des gens.

Selon une recherche du psychologue T. Kasser, les personnes qui prétendent que l'argent, l'image et la popularité sont relativement importants pour eux auraient moins de satisfaction dans la vie, moins d'expériences d'émotions agréables et seraient plus sujettes à des dépressions et à vivre de l'anxiété.

Face à cette réalité, beaucoup de gens décident d'adopter un mode de vie leur permettant de se libérer du temps plutôt que de viser l'acquisition de biens matériels, croyant que l'augmentation du temps libre apporte plus de bonheur et de sens à la vie.

Source : *Adapté du site PsychoMédia*

SAVIEZ-VOUS QUE...

CERTAINS TRAITS DE CARACTÈRE NOUS RENDENT PLUS HEUREUX

Selon les recherches des psychologues C. Peterson et M. Seligman, certains traits de caractère nous permettraient d'être plus heureux.

Ces deux chercheurs ont mis au point un test pour évaluer les principales forces d'une personne. La liste des traits mesurés comprenait 24 caractéristiques personnelles qui ont été valorisées à travers l'histoire et les cultures, selon plusieurs recherches de spécialistes de la psychologie positive.

Il apparaît de ces premières analyses que les personnes dont les cinq principales forces sont :

- la curiosité;
- l'entrain;
- la gratitude;
- l'espoir;
- la capacité d'aimer et d'être aimé ;

seraient ceux qui auraient les plus hauts résultats aux mesures de satisfaction dans la vie.

Les forces les plus fréquentes selon la recherche sont la curiosité, le sens de la justice, l'amour, l'ouverture d'esprit et l'appréciation de la beauté. Les forces les moins fréquentes sont celles appartenant à la catégorie de la tempérance, telles que la modestie, la prudence et le contrôle de soi. Cent dix mille personnes ont rempli le test en ligne.

Seligman explique qu'il est important de se prévoir des moments agréables en utilisant nos forces et nos talents.

Les pessimistes ont plus de difficulté à voir le verre à demi plein, ce qui peut diminuer leur satisfaction et les amener à se centrer sur leurs malchances et ennuis.

Seligman suggère de cultiver la reconnaissance dans nos vies.

Selon les recherches, cela contribuerait à augmenter notre satisfaction dans la vie. Il conseille un exercice consistant à noter chaque jour trois choses qui se sont produites dans la journée pour lesquelles vous êtes reconnaissant. Éventuellement, explique-t-il, il vous deviendra plus facile de voir le beau côté de la vie donc plus difficile de sous-estimer votre propre contribution aux événements.

Source : *Adapté du site PsychoMédia*

Saviez-vous que...

Le bonheur serait aussi dans nos gènes

La science nous a-t-elle promis le bonheur ? Pas vraiment. Mais plusieurs recherches proposent des éléments qui sont susceptibles de nous rendre heureux.

Voici, selon les chercheurs, quelques ingrédients du bonheur, mais pas nécessairement la recette complète. On peut être entourés d'amis, s'entraîner à tous les jours ou faire du bénévolat, mais une partie du bonheur échappe toujours à notre contrôle. Fait ironique, certaines personnes qui ne font rien de tout ça sont bien plus heureuses que la moyenne des gens. Il semblerait donc que certains soient plus doués pour le bonheur que d'autres.

Expert en génétique des populations, le chercheur David Lykken de l'Université du Minnesota confirme cette observation. Ce célèbre professeur s'est intéressé aux jumeaux identiques qui ont été séparés dès leur naissance.

Plus d'une centaine de frères et sœurs s'étant revus à l'âge adulte sont venus à son laboratoire et ont consenti à se prêter à diverses recherches.

Le résultat de ces recherches est assez stupéfiant : « Même si les jumeaux identiques ont grandi dans des milieux forts différents, le niveau de bien-être qu'ils éprouvent face à la vie est statistiquement le même, observe le professeur. Ce n'est toutefois pas le cas avec les jumeaux fraternels. ».

Ces études ont permis à David Lykken de dire qu'environ 50% de notre bien-être serait inné, donc programmé dès notre naissance dans notre bagage génétique.

Le reste serait attribuable aux aléas de la vie. « Nous sommes tous préprogrammés à un certain degré sur l'échelle du bonheur », dit le professeur.

« Nous expérimentons tous des joies et des peines, mais elles sont nuancées par nos gènes. Même après avoir gagné un important montant à la loterie ou encore après avoir subi une blessure grave, on finit par regagner le niveau pour lequel on est programmé. » Le généticien souligne par contre que dans le cas d'événements très graves, comme la mort d'un proche, un viol, un abus sexuel, etc., le retour à notre niveau de réglage peut prendre plusieurs années.

Est-ce que cela signifie que notre propension au bonheur se trouve plafonnée dès notre naissance ? Ruut Veenhoven, un autre chercheur sur le bonheur, nous dit : « Tout comme mon collègue américain, je pense que notre bien-être est en partie dicté par l'hérédité ». Ce sociologue qui travaille à l'Université Erasmus de Rotterdam mentionne que : « On est plus ou moins heureux, comme on a les yeux bruns ou bleus. Mais selon moi, David Lykken surestime largement la contribution de la génétique. Mes recherches démontrent que le niveau de bien-être des individus n'est pas aussi stable que le professeur le prétend. Il confond bonheur et prédisposition au bonheur. ».

Source : *Adapté d'un article de Dominique Forget, publié dans Châtelaine, octobre 2005*

SAVIEZ-VOUS QUE...

LE BONHEUR APPORTE LE SUCCÈS

Le bonheur peut apporter le succès dans nos relations, dans notre vie personnelle, dans notre vie professionnelle et au niveau de notre santé plutôt que l'inverse, selon une nouvelle recherche. Selon les chercheurs, les gens heureux auraient tendance à poursuivre de nouveaux buts dans la vie, ce qui, la plupart du temps, leur apporte plus de bonheur autant que du succès dans l'ensemble des aspects de leur vie.

Parce que les gens heureux ont souvent des humeurs positives, cela les portent à travailler avec plus d'énergie vers des nouveaux objectifs. Lorsque qu'on se sent heureux, on à tendance à être confiant, optimiste et énergique et les autres nous trouvent aimable et sociable. Nous pouvons donc profiter de ces perceptions qu'ont les autres de nous.

Cette recherche, publiée dans le Psychological Bulletin, révisait 225 recherches sur le bonheur et le succès (impliquant 275 000 personnes) et analysait les liens entre les succès dans la vie et le bien-être.

Trois différents types de recherches étaient analysés:

Des recherches qui comparaient le bonheur et le succès à travers différents groupes, posant des questions telles que *"Est-ce que les gens plus heureux ont plus de succès que les gens moins heureux?"*

Des recherches qui étudiaient le bonheur et le succès à travers le temps pour répondre à des questions telles que *"Est-ce que le bonheur précède le succès?"*

Des recherches qui testaient si certaines variables produisaient le succès ou le bonheur.

Les résultats nous renseignent à l'effet que le bonheur conduit à des comportements qui, souvent, amènent au succès dans le travail, dans les relations et dans la santé et que ce succès provient des émotions positives.

Les gens heureux bénéficient de plusieurs caractéristiques qui les prédisposent au succès, telles que:

- Une perception positive d'eux-mêmes et des autres

- La créativité

- Des comportements très sociaux (ils sont portés à aller vers les autres)

- Un système immunitaire fort

- Des habiletés de résolution de problèmes efficaces

Selon ces chercheurs, dans la majorité des cas, le bonheur conduit au succès plutôt que d'en découler simplement. Les gens heureux seraient, selon eux, plus aptes à avoir des relations satisfaisantes, des revenus élevés, une performance supérieure au travail, une meilleure santé et même une espérance de vie plus longue.

Ces indications émanent principalement d'une douzaine de recherches qui étudient les changements dans la vie des gens à travers le temps. Par exemple, une recherche analysait des photos de collège et évaluait les sourires. Ce que les chercheurs appellent le "sourire Duchenne" est un sourire qui n'est pas une pose et indique le bonheur. Les femmes présentant ce sourire étaient dans des mariages plus heureux à l'âge de 52 ans. Dans une autre étude, des jeunes hommes évalués plus heureux au collège avaient de meilleurs revenus 16 ans plus tard.

POURQUOI CERTAINES PERSONNES SONT NATURELLEMENT PLUS HEUREUSES QUE D'AUTRES ?

Les recherches indiquent que 50 à 70% du niveau de bonheur à travers le temps serait déterminé par la génétique. Cependant, cela ne veut pas dire que les gènes déterminent exclusivement notre destinée.

Cela veut dire seulement que les gens nés heureux le sont plus facilement, comme les gens qui sont portés à être mince n'ont pas à faire autant attention. On peut se rendre plus heureux en utilisant toutes sortes de stratégies, mais on doit y mettre quelques efforts. Lorsqu'on parle de développer son intelligence émotionnelle, on fait justement allusion à développer cette propension que nous avons face au bonheur.

Source : *Adapté du site PsychoMédia -*

LA RÉSILIENCE NOUS AIDE À ÊTRE HEUREUX

1) Je me sens tellement mieux physiquement, financièrement et mentalement; bref, je me sens mieux sur quasiment tous les plans.

2) Avant, je n'appréciais pas du tout les autres comme je les apprécie aujourd'hui.

3) C'était une expérience magnifique.

Qui sont ces personnes ayant prononcés ces phrases magnifiques selon vous ?

La première phrase a été énoncée par Jim Wright, ancien porte-parole à la Chambre des députés américains. Il a prononcé cette phrase après avoir enfreint 69 fois, le code de déontologie parlementaire et après avoir dû démissionner de son poste.

La deuxième phrase a été dite par Christopher Reeves, célèbre acteur américain, après avoir subi un grave accident le laissant paraplégique.

La troisième phrase a été prononcée par Moreese Bickham, le jour de sa sortie d'une prison de Louisiane après avoir purgé 37 ans de pénitencier pour s'être défendu contre des membres du Klu Klux Klan qui lui avaient tiré dessus.

Morale de l'histoire, si vous voulez être heureux, essayez l'humiliation publique, la paraplégie et l'incarcération. Trêve de plaisanteries, longtemps, les chercheurs ont cru que les drames que nous vivons au courant de notre vie avaient des conséquences ravageuses sur celle-ci. Cette théorie est encore solidement ancrée dans nos pensées, si bien que ceux qui vivent des drames épouvantables mais qui ont une réaction modérée face à ce qu'ils vivent sont souvent perçus comme des extra-terrestres. On les qualifie trop souvent d'anormaux. Pensez aux gens qui ont perdu un enfant des suites d'un enlèvement et qui sortent dans les médias après quelques semaines pour dire qu'ils pardonnent à l'agresseur de leur enfant. Ces gens sont souvent qualifiés d'insensibles. Pourtant, depuis peu, des recherches tendent à montrer qu'une intensité de chagrin modérée ou même faible face à des situations dramatiques serait un phénomène normal. Il témoignerait par contre d'une grande capacité de résilience de la part de l'individu qui le ressent a cette intensité. La résilience est la capacité que nous avons de rebondir face à certaines situations extrêmement difficiles que nous vivons.

En effet, plusieurs études faites auprès de personnes ayant subi de graves traumatismes démontrent qu'en majorité, les gens s'en sortent plutôt bien. Plusieurs arrivent même à dire que certains évènements tragiques qu'ils ont dû affronter ont donné un nouveau sens à leur vie.

Alors, pourquoi donc est-il pratiquement impossible pour nous en ce moment de croire que nous pourrions être heureux si nous devenions paraplégiques, si nous étions emprisonnés pendant 37 ans ou encore si nous avions à subir une humiliation publique? C'est tout simplement parce que les évènements difficiles que nous traversons nous affectent, mais pas autant et pas aussi longtemps que l'on s'y attendrait. Des chercheurs l'ont confirmé : des personnes malades ou handicapées accordent en général plus de valeur à leur vie dans l'état de santé qui est le leur qu'on ne pourrait se l'imaginer lorsqu'on est en bonne santé. Une personne en bonne santé ne considère pas moins que 83 états pathologiques pires que la mort. Pourtant, ceux qui en souffrent se suicident rarement. Ce qui veut dire que la résilience se présente souvent lorsque l'évènement tragique se produit et qu'avant que l'évènement arrive, nous avons parfois tendance à sous-estimer notre capacité à faire face à de telles situations.

Source : *Adapté du livre Et si le bonheur vous tombait dessus.*

LE BONHEUR ET LE SUCCÈS PASSENT PAR L'ACTION

Le regret est l'émotion que nous ressentons lorsque nous nous sentons responsable d'une issue malheureuse qui aurait pu être évitée si nous avions agi différemment antérieurement. Cette émotion étant très désagréable, nous cherchons évidemment à l'éviter.

Il y a plusieurs théories sur ce qui nous pousse à regretter. Ces théories nous aident justement à écarter les regrets. Prenons un exemple concret : On s'imagine avoir plus de regrets si on découvre qu'il y avait un autre choix possible que si on n'en savait rien.

Lorsqu'on accepte un mauvais conseil, on croit qu'on sera plus déçu que si on en repousse un bon. Si nous faisions un mauvais choix qui est insolite, nous croyons que nous regretterons plus que si le choix était conventionnel. Nous pensons aussi que nous serons plus déçu si on échoue de peu que si on échoue de beaucoup.

Seulement, parfois nos théories sont fausses. Les recherches nous prouvent par exemple que 9 personnes sur 10 pensent qu'elles éprouveront plus de regrets d'avoir déplacé leurs actions que de les avoir gardées où elles étaient, parce que 9 personnes sur 10 croient qu'elles regretteront plus d'avoir fait quelque chose que de n'avoir rien fait.

Maintenant, les recherches nous apprennent aussi que 9 personnes sur 10 se trompent. Effectivement, à long terme, quel que soit notre âge ou notre appartenance sociale, nous regrettons beaucoup plus ce que nous n'avons pas fait que ce que nous avons fait.

C'est pourquoi les regrets les plus répandus sont les suivants : ne pas avoir fait d'études, ne pas avoir saisi certaines opportunités professionnelles et ne pas avoir passé assez de temps avec notre famille et nos amis.

Mais comment expliquer que nous regrettons plus nos inactions que nos actions ?

Il semblerait qu'il est plus facile pour le système immunitaire psychologique de se forger une vision positive d'une action que d'une inaction. Si notre action nous a fait épouser un tueur en série, on peut toujours se réconforter en pensant à tout ce qu'on a appris de cette expérience. Mais lorsque notre inaction nous a fait refuser d'épouser quelqu'un qui, par la suite, est devenu célèbre et adulé de tous, on ne peut pas atténuer notre déception en repensant à toutes les choses apprises car on n'a rien appris du tout.

Morale de ces études : Ne restons pas pris dans notre inaction.

Reprenez le contrôle de votre vie ...

Émotion

STRESS

stephaniemilot.com

stéphanie milot

Conférence-spectacle
Les 9 clefs pour changer d'état d'esprit !

Productions
Albatros

www.productionsalbatros.com   450.656.4245

Depuis le début de ce livre, je vous ai parlé du succès sous différentes formes.

Depuis plusieurs années, je caressais personnellement un rêve : Celui de faire une conférence grand public. Depuis longtemps, je m'imaginais sur une grande scène avec une mise en scène, de l'éclairage, des effets sonores, de la vidéo, bref, je me visualisais devant un vaste auditoire de plusieurs centaines de personnes. Je faisais souvent des blagues en disant : « Lorsque je ferai le Centre Bell, ce sera vraiment merveilleux ». Vous savez, on peut bien rêver à toutes sortes de projets, mais très souvent, ces rêves ne restent qu'au niveau fictif.

En février dernier, j'ai eu la chance d'être en contact avec une importante maison de production qui m'offrait de me produire en conférence-spectacle. Cela voulait dire de faire des conférences devant un grand public, dans des salles foulées par les plus grands !

Mon rêve commençait à prendre forme. Depuis ce jour, nous avons travaillé très fort à élaborer ce projet et à le mettre sur pied, si bien qu'en octobre 2007, je me produisais pour la première fois en conférence-spectacle devant un vaste auditoire. Ce jour-là commençait une tournée à travers le Québec, afin d'aller voir les gens dans leur ville respective pour leur offrir cette conférence.

Cette tournée se poursuit actuellement et c'est avec beaucoup de joie que je vous partage quelques passages de la conférence-spectacle.

Pour plus de détails sur les dates de la conférence-spectacle : www.StephanieMilot.com.

Billets en vente sur le réseau Admission.

EXTRAIT DE LA CONFÉRENCE :

« LES 9 CLÉS POUR CHANGER D'ÉTAT D'ESPRIT »

Vous êtes-vous déjà demandé pourquoi nous sommes souvent meilleur conseiller pour les autres que pour soi ? Avez-vous remarqué que parfois, nous sommes très bons pour donner des conseils aux autres ? Mais lorsque nous vivons personnellement des situations difficiles ou des épreuves, il devient parfois moins évident d'avoir ce détachement émotionnel.

À la lumière de constat, vous serez peut-être d'accord avec moi que nous avons parfois besoin d'une tierce personne pour réaliser ce qu'on sait déjà, mais que l'on n'applique pas nécessairement. Prenons quelques exemples : Vous et moi savons tous que la cigarette n'est pas bonne, mais certains fument quand même ! Nous savons tous que le stress est mauvais pour la santé, mais qui d'entre nous a trouvé des moyens concrets pour diminuer drastiquement son stress ? Nous savons aussi que le *fast food* est mauvais pour le cholestérol, mais McDonald's, Harvey's et Burger King font des millions de dollars chaque année... Certains doivent bien en manger à l'occasion !

J'ai réalisé, au fil des années, que très souvent nous savons des choses au niveau rationnel, mais qu'au quotidien, nous oublions parfois de les appliquer.

Je dois vous avouer que je ne prétends pas détenir la vérité ultime, mais je crois cependant que certains outils et certaines techniques qui m'ont grandement facilité la vie pourraient vous être utiles à vous aussi. Vous pouvez les expérimenter et en tirer vos propres conclusions.

Nous aborderons donc ensemble neuf clés qui pourront vous permettre de changer votre état d'esprit, de reprendre le contrôle de votre vie, d'être plus heureux ou tout simplement de vous permettre de continuer à cultiver votre bonheur.

Mon but est d'agir avec vous comme le ferait une amie, en vous rappelant quelques petits principes de base que vous savez peut-être déjà, mais que vous avez peut-être perdus de vue en chemin. Rappelez-vous une chose : vous n'êtes pas obligés de croire tout ce que je dis, mais testez ces clés pour voir quels effets elles auront sur vous. Elles sont pour moi mon moteur de vie et j'espère qu'il en sera de même pour vous.

Il y a également une autre chose que je sais. La plupart du temps, les jours après la lecture d'un livre, on va généralement se souvenir de ce qu'on a lu et on va souvent l'appliquer. Par contre les semaines vont passer et on va oublier les beaux concepts qu'on aura lus pour revenir à nos anciennes habitudes, à nos anciens comportements. **Prenez l'habitude de mettre sur papier vos engagements. Je vous invite même à le faire tout de suite :**

_____

_____

_____

_____

Et le plus important, c'est de ne pas faire comme au nouvel an, où l'on prend de belles résolutions et que déjà, la semaine suivante, on commence à se trouver des excuses pour ne pas les tenir ! Engagez-vous envers une chose seulement, mais respectez la. Vous serez alors témoin de ce que j'appelle : *l'effet papillon.*

L'effet papillon, c'est le fait de changer une petite chose dans notre vie, puis que lorsque nous faisons ce changement, l'impact se fait ressentir sur tout le reste de notre vie.

Je vous donne un exemple de cela :

Reportons-nous à l'été 1987. À cette époque, je venais d'avoir 16 ans, j'avais la vie devant moi.

Cet été-là, je suis tombée par hasard sur un livre intitulé **Pourquoi pas le bonheur ?**, de Michèle Morgan. Le contenu de ce livre a été, à ce moment-là, une révélation pour moi. On pouvait y lire qu'on avait la capacité de programmer notre subconscient pendant 21 jours pour obtenir tout ce qu'on voulait.

En tout cas, moi c'est ce que j'avais compris à cette époque-là.

Je me rappelle m'être aussitôt mise à faire la liste des choses que je voulais obtenir, toutes plus réalistes les unes que les autres : (je dis cela à la blague bien sûr...)

- gagner le million;
- devenir mannequin professionnelle;
- devenir la copine de Tom Cruise (à cette époque, il n'était pas aussi connu qu'aujourd'hui...).

Après avoir répété pendant 21 jours mes demandes, j'ai constaté que rien n'arrivait. Je n'avais toujours pas gagné le million, je n'avais rien qui laissait présager que je deviendrais mannequin et j'étais surtout toujours sans nouvelles de Tom Cruise.

Farce à part, à la lumière de ce livre, je venais de réaliser un premier principe excessivement important. J'avais compris qu'on possédait deux choix dans la vie : Vivre notre vie en victime, ou encore choisir la façon dont on réagit aux divers évènements et épreuves que l'on rencontre. J'ai appris qu'on pouvait se responsabiliser.

CLÉ # 1 : SE RESPONSABILISER

Plusieurs années plus tard, lorsque je suis retournée étudier en psychologie, une fois de plus j'ai compris que nous avions avantage à nous responsabiliser au lieu de continuellement être victime de la vie.

J'ai réalisé que c'était en fait notre façon de voir les choses, notre interprétation, le regard que l'on porte sur ce qui nous arrive, qui nous amenait à vivre des émotions. J'ai étudié une approche en psychologie que l'on nomme cognitive-comportementale. L'approche cognitive-comportementale sous-tend que si l'on arrive à changer notre perception des situations, on changera aussitôt l'émotion que l'on vit. Je sais que c'est plus facile à dire qu'à faire, mais nous avons tous avantage à comprendre ce principe, car il est l'élément déterminant dans *la responsabilisation*.

Mais ça veut dire quoi au juste, se responsabiliser ?

Se responsabiliser, ça peut vouloir dire :

❖ Décider aujourd'hui que je vais faire ce que j'aime dans la vie et si ça implique de changer d'emploi, je vais prendre les mesures nécessaires. De toute façon, si vous n'êtes pas heureux au travail, à qui faites-vous le plus mal ? À vous et à votre entourage, car lorsque vous arrivez le soir et que vous ruminez, vous vous plaignez à qui veut bien l'entendre que vous êtes tanné de travailler et que si la retraite pouvait bien arriver combien vous pourriez donc en profiter !!! Pendant ce temps, vous ne réalisez pas que vous passez à côté du meilleur de votre vie ! Démissionnez si vous êtes tanné, planifiez votre départ. De toute façon, vous rendrez service à votre employeur si vous êtes malheureux dans votre travail. Qui veut un employé qui n'est pas motivé, qui n'a plus la flamme, qui vient travailler de reculons ? Personne.

Se responsabiliser, ça peut aussi vouloir dire :

❖ Décider de prendre soin de ma santé, que j'ai négligée depuis longtemps sous prétexte que je n'avais pas le temps. Un instant. Vous n'avez pas le temps ? Il y a une justice sur cette terre, c'est que nous disposons tous du même nombre d'heures dans une semaine... 168 heures. À vous d'en disposer comme vous le voulez. Alors lorsque vous dites que vous n'avez pas le temps de prendre soin de vous, dorénavant dites plutôt : «J'ai décidé de ne pas prendre le temps...», parce que c'est la réalité. Prendre soin de sa santé, ça peut vouloir dire perdre le petit excédent de poids qui me fatigue depuis longtemps, mais pour lequel je ne fais rien. J'ai une amie qui me disait : «J'ai pris cinq livres cette année. Ce n'est pas si pire pour une fille de 30 ans...». Avez-vous calculé que si elle prend cinq livres par année pendant 25 ans, elle va se retrouver avec 125 livres en trop à 55 ans. Ça commence à être beaucoup et surtout très nocif pour la santé !

Se responsabiliser, ça peut aussi vouloir dire :

❖ Décider de vivre seul au lieu d'être mal accompagné. Je sais pertinemment qu'il y a des gens qui se reconnaissent, mais qui remettent à plus tard une rupture qui aurait dû être faite bien avant. Je le sais, puisque je rencontre fréquemment des gens dans mon bureau qui endurent une relation qui ne fonctionne plus depuis trop longtemps. Les deux partenaires sont malheureux, mais restent quand même ensemble, trop souvent pour les mauvaises raisons.

Mais qu'est ce qui nous empêche de changer ou de prendre la décision de se prendre en main, de se responsabiliser ? La réponse est notre zone de confort et notre ambivalence. L'ambivalence, c'est notre habitude mentale nous conduisant devant une situation donnée, à manifester, dans un même temps, des sentiments diamétralement opposés. En termes plus simples, notre indécision face à certaines situations. Est-ce que je pars ou est-ce que je reste ? Est-ce que je change d'emploi ou non ? Etc.

Mais la grande question est :

POUVONS-NOUS RÉELLEMENT CHANGER ?

Les croyances que nous entretenons nous empêchent souvent de changer. Si je pense que c'est impossible de changer, fort probablement que je n'entreprendrais même pas le changement, ou si je pense qu'il y a beaucoup d'avantages à changer mais que dans le fond, les inconvénients sont plus importants, je n'effectuerais pas le changement. C'est ce que l'on appelle l'ambivalence.

Par exemple, si je veux changer d'emploi parce que je constate que je n'ai plus de plaisir, que je ne me réalise plus, je vais peser le pour et le contre et je peux finalement penser que j'aimerais bien changer. Cependant, en pensant aux avantages sociaux, aux risques de ne pas avoir autant de vacances et à l'adaptation aux nouveaux collègues, je peux penser que c'est trop compliqué de changer. Même si je ne suis plus capable de sentir mes collègues actuels, le fait de devoir m'adapter à une nouvelle réalité peut me sembler trop compliqué et par conséquent, je garderai le statu quo.

Nous pourrions toujours trouver toutes les raisons pour ne pas faire le changement, mais si nous focalisions plutôt sur les avantages que ça nous apporterait, nous augmenterions nos chances d'effectuer ce changement. Même chose pour le conjoint de vie. Une cliente me racontait qu'elle n'était plus capable de voir son mari « faire le mort » sur le divan (pour reprendre son expression). Elle me disait : « Il est nonchalant, peu attentionné et très traîneux ! ».

Lorsque je lui ai demandé pourquoi elle acceptait la situation si elle ne la satisfaisait plus, elle m'a répondu : « Je pourrais me retrouver avec pire ! ».

Mon Dieu ! Quelle façon de voir les choses !

Est-ce qu'il y a des fois où vous vous contentez de peu, parce que vous pensez que vous pourriez vous retrouver avec pire ?

Je ne veux surtout pas porter de jugement sur son mari, mais vous conviendrez avec moi que dans cette situation, je n'ai qu'un seul côté de la médaille.

Nous devons toujours nous poser la question : « Pourquoi est-ce que je reste dans une situation qui me déplait, qui ne me satisfait plus ? Quels-sont les avantages pour moi de changer ? ». Voilà qui nous aidera à faire de meilleurs choix, à nous responsabiliser.

J'ai maintenant une question pour vous. Est-ce que les évènements ou les personnes qui nous entourent peuvent nous causer des émotions ? Pour ceux qui ont déjà lu mes deux premiers livres, vous connaissez la réponse, mais pour les autres…

Par exemple, est-ce possible que votre conjoint ou un collègue ait la capacité de vous mettre en colère par ces agissements, ou encore, est-ce qu'un évènement comme une perte d'emploi puisse vous amener à vivre des émotions ?

Prenons conscience d'une chose aujourd'hui, ce ne sont pas les évènements ou les gens qui nous entourent qui sont la causes de nos émotions. C'est l'interprétation que je fais de ces événements-là ou des comportements que ces personnes adoptent. La preuve, c'est que souvent, deux personnes vivant la même situation peuvent réagir de façons diamétralement opposées. Tentons de faire la lumière là-dessus.

> *Le secret du succès est de faire de ta vocation tes vacances.*
>
> *[Mark Twain]*

CLÉ #2 : CHANGEZ VOTRE PERCEPTION

Je me suis longtemps posé les questions suivantes : Pourquoi certaines personnes semblent-elles plus heureuses que d'autres ? Comment se fait-il que tout parait plus facile et plus simple pour elles ? Pourquoi presque rien ne semble les affecter ?

Vous savez ? Le genre de personne qui aime son tellement son travail qu'elle a hâte de se lever le matin pour se rendre au boulot. Arrivée au bureau, elle salue tout le monde avec un grand sourire.

Évidemment, il y en a qui se disent : «Mais qu'est-ce qui ne tourne pas rond chez elle ?». « Elle m'énerve, je ne suis plus capable de la voir ! ».

En plus, les éternels optimistes ce sont souvent des gens qui sont heureux dans leur vie de couple. Ils ont des enfants bien élevés, ils ont une bonne santé, et même lorsqu'ils ont une grippe, ils appellent cela : une petite *grippette*... Ils ont l'art de minimiser leurs petits bobos.

En plus, ces gens-là sont souvent prospères. Financièrement, ils n'ont pas de problèmes, mais ce ne sont pas nécessairement parce qu'ils sont riches, ils sont capables d'apprécier ce qu'ils ont.

Je me demandais alors si c'était parce qu'ils étaient plus chanceux que d'autres ? Comment expliquer que, contrairement à d'autres, ils arrivent à surmonter les épreuves de la vie avec une certaine maturité et avec de la sagesse ?

À l'inverse, pourquoi certains autres donnent toujours l'impression qu'ils vivent un enfer sur terre ? Pourquoi tout a l'air de les accabler ? Comment expliquer que la vie paraît toujours s'acharner sur eux ? Pourquoi la moindre petite épreuve devient, pour ces derniers, une catastrophe ? Et vous en connaissez sûrement ! Eux, à l'inverse, ils se plaignent constamment, ils n'aiment pas leur travail. Ça fait 10 ans, 15 ans qu'ils ont le même emploi, mais pas de danger qu'ils fassent des démarches pour améliorer leur sort. Mais non, de toute façon, il n'y aurait aucune chance que ça marche. Ils se plaignent que leurs patrons les exploitent, que c'est toujours les autres qui ont les promotions, que leur bureau est trop petit, que le café au bureau goûte mauvais, bref, tout est toujours l'enfer !

Ils sont constamment en train de se plaindre à propos de leur vie de couple, mais évidemment, ce n'est pas leur faute. Non. C'est toujours la faute de l'autre si ça va mal. S'ils ont des enfants, c'est certain qu'ils ont des problèmes avec eux et à coup sûr, s'ils sont malades, ils sont bien plus malades que les autres. Ils trouvent qu'ils payent trop cher de taxes, que le gouvernement les vole. L'été il fait trop chaud, l'hiver il fait trop froid.et lorsqu'il pleut, c'est l'enfer et que dire du soleil trop aveuglant ! Ils disent que l'état des routes est exécrable, mais lorsqu'on les répare, les travaux bloquent la circulation. Bref, il n'y a jamais rien qui fait leur affaire.

Je me suis alors demandé s'il était possible qu'au moment de notre naissance, il y ait un tirage déterminant ceux qui bénéficieraient d'une vie heureuse et comblée et ceux qui auraient plutôt une vie pénible et remplie d'embûches ? Évidemment, je ne le crois pas.

Vous me direz que j'exagère ? À peine. Je caricature un peu, sans plus.

Il y a effectivement des gens qui sont constamment des victimes, alors qu'il y en a d'autres qui se prennent en main, qui se responsabilisent, comme nous l'avons vu à la clé #1, indépendamment des évènements qui leur arrivent. Et vous savez, l'idée ce n'est pas de savoir à quel groupe on appartient actuellement, mais plutôt à quel groupe on a envie d'appartenir dans l'avenir. Si le meilleur de votre vie appartient au passé, il y a vraiment un problème.

EXERCICE : PROJETEZ-VOUS DANS L'AVENIR

Je demande souvent aux gens qui viennent me consulter ou aux gens que je rencontre dans mes conférences : « **Où voulez-vous être dans cinq ans, dans dix ans ?** » Quelle drôle de question me direz-vous, mais je crois pertinemment qu'on ne peut espérer améliorer notre vie sans se poser des questions du genre à l'occasion.

Réalisons que tout est relatif ! Prenons quelques exemples :

Si je perds mon emploi, c'est vrai que je peux me dire que c'est l'enfer, mais je peux aussi me dire : Voilà une opportunité d'aller vers de nouveau défis !

Si mon conjoint me laisse, je peux me dire que ma vie est finie, ou encore je peux me dire : Il y a peut-être quelqu'un de mieux pour moi.

Si j'ai pris dix livres et je ne rentre plus dans mon pantalon, je peux voir ça comme une catastrophe, ou je peux me dire : Super, je vais aller magasiner pour du nouveau linge !

Évidemment, entre vous et moi, ce n'est pas évident de transformer notre façon de voir les choses, notre perception, et je ne vous dis pas que c'est facile, mais il y a une chose que je sais, c'est que c'est fort utile.

Plus sérieusement, je ne vous demande pas de voir la vie avec des lunettes roses, mais plutôt de voir la vie avec un peu plus de réalisme. Très souvent, nous avons tendance à dramatiser, à appréhender certaines situations. Je vous suggère simplement de ne pas vous laisser voir toujours le mauvais coté des choses, à toujours voir le verre à moitié vide. Tentons de voir la réalité telle qu'elle est, tout simplement.

CLÉ # 3 : CHANGEZ VOTRE PHYSIOLOGIE

Nous avons vu, lors d'une clé précédente, que pour changer d'état d'esprit, nous pouvions changer notre perception des évènements qui nous arrivent.

Nous savons par contre que la physiologie a aussi un impact majeur sur notre état d'esprit. Lorsque nous avons une baisse d'énergie, très souvent, si nous étions filmés 24 heures sur 24, nous pourrions constater que notre posture en dit long sur notre état d'esprit. Lorsqu'une personne est déprimée, la majorité du temps, elle adopte une posture repliée sur elle-même.

À l'inverse, lorsque nous sommes en pleine forme et remplis d'énergie, nous avons tendance à nous tenir droit, à adopter une posture d'excellence, comme je l'appelle.

Lorsqu'on parle de l'impact de la physiologie sur notre état d'esprit, une autre stratégie très puissante consiste à utiliser la technique du : « *faire comme si* ». Je m'explique :

À titre de psychothérapeute, je rencontre fréquemment des clients qui vivent de grosses difficultés dans leur vie et très souvent, lorsque je les observe en thérapie, leur physiologie traduit bien l'état d'esprit dans lequel ils se trouvent. Leur langage non-verbal m'en dit beaucoup sur eux. À certaines occasions, je leur propose de se prêter à un exercice fort intéressant et surtout, très puissant : *faire comme si* ça allait bien. Je leur demande de se mettre dans la peau d'un comédien pour quelques minutes et de me démontrer comment ils se tiendraient, s'ils allaient vraiment bien (quelle serait leur posture).

Généralement, je pousse l'audace à faire changer le client de place avec moi. C'est toujours très particulier de voir la transformation qui s'opère lorsqu'il commence à *faire comme si* ça allait bien. Tout d'abord, sa posture change radicalement. Il se tient habituellement plus droit, ses épaules se relèvent, sa respiration est plus profonde, son visage s'éclaire, bref, je peux noter une foule de différences entre sa posture initiale et sa nouvelle posture.

Ce qui est le plus particulier, c'est ce qui arrive par la suite, lorsque je lui demande : « Maintenant, comment tu sens-tu ? Que ressens-tu dans cette nouvelle posture ? ». De façon générale, la personne me répond : « Je ne sais pas pourquoi, mais je me sens un peu mieux. ».

Nous devons réaliser que la physiologie est un outil excessivement puissant pour transformer instantanément la façon dont on se sent, donc pour modifier notre état d'esprit.

À partir du moment où l'on adopte une posture d'excellence, automatiquement notre état d'esprit change et se met, lui aussi, dans un état identique.

Lorsque l'on modifie notre physiologie (notre posture, le ton de notre voix, notre rythme respiratoire, nos expressions faciales, etc.), on transforme automatiquement notre état.

Donc, si vous désirez changer d'état en quelques secondes, « **faites comme si** » ça allait vraiment bien et constatez la différence. J'ai pris l'habitude de dire en conférence : « Ne me croyez pas, essayez-le ! ».

CLÉ # 4 : POSEZ-VOUS LES BONNES QUESTIONS

L'année 2005 a été assez mouvementée pour moi. Le 1er septembre, par une magnifique journée, mon conjoint a eu la brillante idée d'aller essayer son nouveau motocross. Il faut savoir que Louis-Jean est téméraire, très téméraire. Il a eu 28 fractures dans sa vie. Fragile, vous direz ? Non, plutôt très cascadeur.

Ce jour-là, Louis-Jean décide de faire comme le cascadeur Evil Knievel. Il décide de faire comme au Super Motocross et de sauter.

C'est la dernière chose dont il se souvient. Une minute avant, il était sur sa moto, puis l'instant d'après, il était couché sur le dos, la colonne vertébrale fracturée à quatre endroits, les côtes cassées, le poumon presque perforé.

Il fut aussitôt conduit d'urgence au Centre de Traumatologie de l'Hôpital du Sacré-Cœur, où les médecins qui l'ont reçu ont constaté la gravité de son état. Je me souviendrai toujours des longues heures passées dans le couloir de l'urgence, en face de la salle 17-1, salle où l'on reçoit les accidentés de la route. J'ai vécu les plus longues heures de ma vie. Imaginez, je n'avais, à ce moment-là, aucune idée si mon conjoint allait remarcher un jour, ou même s'il allait survivre. Je peux vous dire que c'était le temps de mettre en application ce que je répète toujours dans mes conférences et à mes clients. J'ai dû me parler et tenter de faire taire ma petite voix qui tendait à se faire des scénarios, car dans des moments comme ceux-là, il est difficile de ne pas se faire de scénarios, de ne pas imaginer le pire.

Le médecin sort finalement et nous dit : « Ce gars-là vient de gagner à la loterie. Il ne le sait pas, mais il a eu la chance de sa vie. Dans un cas pareil, la majorité des gens seraient paralysés, mais heureusement, pas lui. La moelle épinière n'a pas été touchée. Malgré qu'une des quatre fractures soit très grave et ait failli le laisser en chaise roulante, il va remarcher. ».

Les mois ont passé, sa réhabilitation a été longue. Ses parents sont venus vivre chez nous pendant un mois, car il était constamment couché, incapable de se lever seul.

Avec le temps, il a pris du mieux. Il avait un moral d'enfer et c'est certain que ça lui a été très bénéfique. Il me disait toujours : « Il y a une bonne raison, Stéphanie, pour laquelle c'est arrivé. ».

Dans toute cette histoire, il y a deux éléments qui m'ont surprise. Le premier, c'est que les semaines où il était hospitalisé, j'observais les infirmières et les médecins qui travaillaient à l'urgence et je n'en revenais pas de constater à quel point ils arrivaient à avoir un moral extraordinaire, malgré toute la souffrance dont ils étaient témoins quotidiennement. Pour vous mettre en contexte, une heure après que Louis-Jean eût été hospitalisé, deux jeunes de 20 et 21 ans venant d'avoir un grave accident sur le boulevard Labelle, à Laval, sont arrivés. La jeune fille avait été éjectée du véhicule et le jeune homme en était resté prisonnier. La voiture avait fait plusieurs tonneaux, avant de terminer sa course dans un champ. Elle était entre la vie et la mort et lui était défiguré. Je me rappellerai toujours avoir vu les deux civières passer devant moi, alors que j'attendais des nouvelles de mon conjoint. C'était une vision d'horreur. Deux si jeunes personnes venaient de voir leurs vies basculer. Pendant ce temps, tout le personnel faisait un travail extraordinaire avec une pression incroyable et gardait le moral. Je trouvais cela extraordinaire, parce que ça venait confirmer ce que je dis depuis longtemps et je crois que vous serez d'accord avec moi. Ce ne sont pas les conditions dans lesquelles nous travaillons qui nous font vivre du stress, mais plutôt la façon dont nous entrevoyons notre travail. J'ai eu l'occasion de discuter avec plusieurs personnes qui travaillaient à l'urgence et la majorité d'entres elles me disaient qu'elles avaient l'impression de faire une différence dans la vie des gens, qu'elles avaient l'impression d'être utiles. Elles savaient que les gens qui ressortaient de là étaient reconnaissants envers elles. Et même s'il n'est pas toujours facile de travailler dans des conditions telles qu'à l'urgence, elles arrivaient à faire face à ces situations avec une attitude extraordinaire. Elles arrivaient à focaliser sur ce qu'elles apportent aux gens, plutôt que de mettre leur focus sur la souffrance des gens et les pertes de vies dont elles sont souvent témoins.

Le deuxième élément qui m'a surprise, c'est l'attitude de mon conjoint, qui a su garder le moral tout au long de cette épreuve. Je savais que je partageais ma vie avec un éternel positif, je savais qu'il avait l'art de toujours voir le bon coté des choses, mais vous serez d'accord qu'il est facile d'être positif lorsque notre vie va bien. C'est lors d'épreuves que nous pouvons remarquer ceux qui restent optimistes même si ce n'est pas toujours évident.

Il y en a peut-être qui se diront : « On sait bien, le gars est positif de nature, c'est facile pour lui. », mais je vous demanderai alors pourquoi ce serait plus facile pour lui que pour les autres. Pensez-vous que l'on peut commencer à cultiver une philosophie de vie comme cela ? Je peux vous dire que si ça va bien dans votre vie, il est temps de commencer à voir le bon côté des choses.

Développer la résilience, c'est quelque chose qui se développe, qui se cultive, qui s'apprend. Par la suite, lorsque les épreuves arrivent, si on a pris l'habitude de se demander : « Qu'est-ce qu'il y a de bon la dedans ? », ou « Qu'est ce que je peux apprendre ou retirer de cela ? », on arrive à obtenir les bonnes réponses. On peut toujours se demander pourquoi ça nous arrive, pourquoi nous, mais nous ne sommes pas en train de focaliser sur les bonnes choses.

Parlons de Pierre-Hugues Boisvenu, cet homme qui a perdu, non pas une, mais deux filles de façons tragiques et qui arrive à gérer une association pour venir en aide aux familles qui perdent un enfant tragiquement. Qu'est ce qui fait en sorte que cet homme-là continue ? Qu'est-ce qui fait en sorte qu'il n'a pas décidé d'abandonner ? Pierre-Hugues Boisvenu s'est probablement posé les bonnes questions. Il s'est sans doute demandé ce qu'il pouvait faire pour aider ceux qui avaient vécu ce que lui-même vivait.

Un autre exemple, ma cousine Maude, une jeune femme de trente-trois ans. Au début de la vingtaine, elle terminait un Baccalauréat en enfance inadaptée. À cette même époque, on lui diagnostiquait une maladie incurable, le lupus. Elle n'avait pas vingt-deux ans. Le Lupus a complètement changé sa vie, entre autres car elle n'a jamais travaillé dans son domaine, sa santé ne le lui permettant pas. Plusieurs fois au cours des dernières années, elle s'est retrouvée à l'hôpital pour des pneumonies qui la laissaient parfois presque morte.

Chaque fois, par contre, elle gardait le moral. Elle arrivait même à faire des blagues, malgré sa condition extrêmement difficile.

Je n'ai jamais vu quelqu'un qui voit la vie du bon côté comme elle et je peux vous dire qu'elle aurait toutes les raisons d'être dépressive, mais non, elle s'accroche. C'est extraordinaire et j'ai beaucoup d'admiration pour elle, c'est une vraie battante. Alors quand j'entends des gens me dire que leur vie est un enfer, laissez-moi vous dire que je ne peux m'empêcher de penser à tous ces exemples que je vous ai donnés. Tous ces gens pourraient facilement clamer que leur vie est un enfer, n'est-ce pas ? Mais ils ont plutôt choisi de penser autrement et c'est tout à leur honneur. Ils ont choisi de se poser les bonnes questions.

QUELQUES QUESTIONS À SE POSER DANS DES MOMENTS DIFFICILES :

1) Qu'est-ce que je peux apprendre de ce qui m'arrive ?
2) Qu'est-ce qu'il y a de positif dans ce que je vis ?
   (Cette question est parfois très difficile à répondre sur le coup dans certaines circonstances, mais elle est souvent fort aidante)
3) Qu'est-ce que je peux faire pour faire face à cette situation ?

Je termine cette clé en vous disant :

N'oubliez jamais que c'est en se posant les bonnes questions, qu'on obtient les bonnes réponses !

Il n'y a qu'un vrai succès : être capable de vivre ta vie à ta manière.

[Christopher Morley]

CLÉ # 5 : DÉDRAMATISEZ LES ÉVÈNEMENTS

J''en entends certains me dire : « Oui, mais moi, ce que je vis, c'est différent. C'est beaucoup plus grave. ». Rappelez-vous l'histoire de W. Mitchell.

Cet homme a su faire de deux événements traumatisants de sa vie un moteur pour avancer, pour vivre. Il a su changer sa perception, l'interprétation de ce qu'il a vécu et il a surtout dédramatisé. D'autres que lui auraient mis fin à leurs jours, mis fin à leurs souffrances, il a décidé de faire autrement.

Vous êtes-vous déjà demandé pourquoi nous faisons parfois des montagnes avec un grain de sable ? Pourquoi certains d'entres nous sont passés maîtres dans l'art de se faire des scénarios ?

Réalisez une chose :

95% des scénarios que l'on se fait n'arrivent jamais.

95% des choses que l'on appréhende n'arrivent pas.

Ça veut donc dire que si vous repensez à toutes les fois où vous vous êtes fait du mauvais sang pour différentes raisons, la majorité du temps, c'était de l'énergie gaspillée. Pensez-y !

N'oubliez jamais de relativiser. Utilisez l'échelle de la catastrophe (page 28) et posez-vous les trois questions suivantes :

QUESTIONS POUR DÉDRAMATISER

- ❖ Est-ce que ce qui m'arrive est si grave que cela ?
- ❖ Est-ce vrai que c'est la fin du monde ?
- ❖ Est-ce que ça pourrait être pire ?

CLÉ #6 : SOYEZ RECONNAISSANT

L'année 2005 a été une année assez mouvementée en ce qui me concerne.

Vous rappelez-vous ce que vous faisiez la nuit du 26 janvier 2005 ? J'imagine que la plupart d'entre vous dormiez. Honnêtement, moi aussi. Il était 4h00 du matin, lorsque mon conjoint, Louis-Jean, m'a réveillée pour me dire : « Stéphanie, j'entends quelqu'un crier Aidez-moi ! Aidez-moi ! »

Cette nuit-là, il faisait -25°C. Il faisait tellement froid que la rivière était couverte d'un épais brouillard. Notre chambre étant au bord de l'eau, j'ai tout de suite pensé qu'un itinérant s'était peut-être retrouvé dans la piste cyclable, sous le pont, pour se réchauffer. Je me suis aussitôt levée et j'ai commencé à chercher. Soudainement, j'ai à nouveau entendu les appels à l'aide et au même moment, j'ai aperçu un homme dans la rivière, agrippé à la glace et qui tentait de sortir de l'eau, sans succès. J'ai aussitôt crié à Louis-Jean ce que je venais de voir.

Sans réfléchir longtemps, mon conjoint a enfilé un jeans et est sorti à l'extérieur, torse nu, pieds nus. Il criait à l'homme : « Je vais vous sortir de là ! ». Pendant ce temps, j'ai appelé les secours, mais dans l'énervement, j'ai composé le 411 au lieu du 911 et on m'a répondu : « Pour quelle ville ? ». Imaginez !

Je suis ensuite allée rejoindre Louis-Jean, descendu sur la glace, qui était allé chercher, entre temps, une rallonge électrique pour tenter de rejoindre l'homme, toujours dans les eaux glacées et de plus en plus faible. Il se plaignait de plus en plus, nous disait de nous dépêcher car il n'en pouvait plus. C'est à ce moment que la rallonge atteignit son épaule. Louis-Jean lui demanda de faire le tour de son corps, le rassurant qu'on allait le sortir de là. J'ai donc aidé Louis-Jean a tirer sur le câble et de peine et de misère, il est finalement sorti de l'eau.

Le premier réflexe de Louis-Jean a été de mettre immédiatement l'homme dans notre spa, à 104°F ! Laissez-moi vous dire que lorsque les policiers et les pompiers sont arrivés et qu'ils nous ont demandé où était l'homme, ils sont restés surpris lorsque nous leur avons répondu !

Cet homme de 51 ans avait décidé de se suicider et avait choisi de le faire sur le pont à proximité de notre résidence. Heureusement, une fois à l'eau, il avait changé d'idée.

Il nous a avoué avoir tenté de se suicider 20 ans auparavant, sur le même pont, mais au printemps. Il avait arrêté sa voiture sur le pont, au mois de mai, puis il avait sauté. Une fois à l'eau et constatant qu'il n'était pas mort, il avait nagé jusqu'au bord, pour rembarquer dans sa voiture, tout mouillé et finalement retourner chez lui. Imaginez !

Qu'est-ce qui fait qu'un homme décide deux fois dans sa vie de mettre fin à ses jours ? Et, n'allez pas croire que cet homme est un fou ou un drogué, au contraire !

Ce qui est particulier, c'est que nous sommes restés en contact avec cet homme, que nous voyons à l'occasion. C'est spécial le lien qui se tisse avec un pur inconnu, suite à une situation pareille. Vous ne pouvez vous imaginer à quel point cet homme-là est reconnaissant envers nous, tout comme sa mère, d'ailleurs, qui est âgée de plus de 80 ans. Le 1er janvier de l'année suivante, on sonnait à la porte. Une petite dame, toute frêle, venait nous remercier pour le miracle qui s'était produit. Pour elle, c'était réellement un miracle que Louis-Jean ait pu entendre son fils de 51 ans crier au secours. Ce jour-là, j'ai vraiment compris ce qu'était la reconnaissance.

À mon avis, la reconnaissance manque beaucoup dans nos vies et dans nos entreprises, de nos jours.

Des études démontrent qu'il y a plus d'insatisfaction au travail causée par le manque d'appréciation (reconnaissance), que par toutes les autres raisons ensemble.

Parmi les divers facteurs de gestion qui déterminent le sentiment d'appartenance du personnel, le facteur respect et considération explique à lui seul 50 % du sentiment d'appartenance et d'engagement. *(Dubois, 2005)*

Vous savez, on peut comprendre qu'une mère qui est passé à un cheveu de perdre son fils peut être reconnaissante envers l'homme qui l'a sauvé de la mort, mais, a-t-on vraiment besoin d'attendre des évènements semblables ? Je ne le crois pas. Vous savez que très souvent, un simple petit : « Merci, j'apprécie ce que tu as fais », peut faire des miracles, que ce soit entre nous ou envers un collègue.

Lors d'un atelier de consolidation d'équipe que nous avons animé, la journée se terminait lorsque nous donnions à chacun des participants un petit chocolat. Nous leur demandions alors d'aller le remettre à un collègue qu'ils appréciaient et de lui dire pourquoi ils l'appréciaient. Vous n'avez pas idée de l'émotion qui est ressortie de ce petit exercice, qui, à prime à bord, semble banal. J'ai vu des gens se serrer dans leurs bras, se faire des confidences dans l'oreille, j'ai vu des gens vraiment touchés et émus par le geste de reconnaissance posé à leur égard.

Sincèrement, nous devrions tous vivre plus souvent des moments comme celui-là.

Prenez l'habitude d'être reconnaissant dans votre vie, reconnaissant envers ce que vous avez et aussi reconnaissant envers les autres.

EXERCICE : DIX CHOSES POUR LESQUELLES VOUS ÊTES RECONNAISSANT

Avant de vous coucher, répertoriez dix choses pour lesquelles vous êtes reconnaissant.

_____   _____

_____   _____

_____   _____

_____   _____

🗝 CLÉ # 7 : CHANGEZ VOTRE FOCUS

Connaissez-vous le phénomène d'inhibition latérale ?

Pour illustrer ce qu'est ce phénomène, je vous raconte l'histoire de Roger Banister. Il fut le premier homme de toute l'histoire de la course humaine à avoir réussi à courir un mille en quatre minutes, au début des années 1950. Dans toute l'histoire de la course, jamais personne n'avait réussi à courir un mille en quatre minutes (à l'époque, on calculait les distances en milles et non en kilomètres).

Lorsqu'on l'a interrogé pour savoir comment il avait réussi cet exploit, il a répondu : « J'ai visualisé ma réussite, je me voyais briser ce record et évidemment, je me suis entrainé très fort.».

Ce qui est surprenant dans cette histoire, ce n'est pas le record que cet homme a brisé, mais bien ce qui est arrivé par la suite. L'année suivante, selon vous, combien de personnes ont réussi à briser le même record ? Plus d'une trentaine ! Et l'année suivante ? Près de deux cents coureurs ont atteint ce record !

Mais que s'était-il donc passé ? Ce n'était pas un hasard. En réussissant ce record, Roger Banister venait de briser une barrière psychologique. En voyant que Monsieur Banister pouvait réussir, les autres coureurs se sont alors mis à penser qu'eux aussi pouvaient réussir. En l'observant, ils se sont sans doute dit : « Je m'entraîne tous les jours avec lui, je mange à peu près la même chose que lui, je suis physiquement aussi en forme que lui, donc s'il a réussi, je peux le faire aussi.

Ce qu'il faut retenir de cette histoire, c'est que trop souvent, on se limite. Trop souvent, on laisse nos rêves en suspend, parce qu'on ne croit pas assez en nous.

Lorsque je vous parle du phénomène *d'inhibition latérale*, ça veut dire que plus on entretient des idées négatives, plus elles vont s'amplifier, plus nous allons nous attirer du négatif. L'inverse est aussi vrai. Plus on entretient des idées positives ou plus on croit en soi, plus on atteint des résultats.

QUESTIONS POUR CHANGER SON FOCUS

Dans son merveilleux livre, *Puissance Intérieure*, Anthony Robbins nous demande de nous poser les questions suivantes, chaque matin :

- Quelles-sont les aspects de ma vie dont je suis heureux actuellement ?
- Pour quelles raisons suis-je heureux en ce moment ?
- Qu'est-ce qui me stimule actuellement ? Pour quelles raisons, je me sens stimulé ?
- Quelles-sont les choses dont je suis fier en ce moment dans ma vie ?
- Quels-sont les bienfaits dont je suis reconnaissant à la vie (la santé, l'amour de mon conjoint, d'un enfant, l'amitié) ?
- Qui sont les gens qui m'aiment ? Qui sont les gens que j'aime ?
- Quelles-sont les choses que j'aimerais améliorer ?
- Quels comportements et attitudes j'aimerais modifier pour améliorer ma vie ?

Si vous vous habituez à vous poser ces questions, vous prendrez l'habitude de mettre votre focus sur ce qui va bien dans votre vie, plutôt que de faire l'inverse.

Et si vous répondez à la question : Qu'est-ce qui va bien dans ma vie ? RIEN, je crois que vous ne voyez pas clair, parce que, pour moi, c'est impossible que tout aille mal.

Quand certaines personnes me disent que tout va mal, je leur demande comment va leur santé. Très souvent, elles me répondront : « Ah ! Ça, ça va. ».

Pas plus que ça ? Êtes-vous sérieux ? Juste le fait d'être en santé devrait nous laisser dire que notre vie va bien. Êtes-vous allé vous promener dans les hôpitaux récemment ? C'est lorsqu'on y met les pieds que l'on réalise que d'être en santé, ça vaut énormément !

CLÉ # 8 : AYEZ DU PLAISIR

Lorsque j'ai débuté mes études en psychologie, j'ai alors commencé à observer les personnes qui m'entouraient. En vieillissant, j'ai réalisé que le concept de concilier sa vie personnelle et professionnelle était un défi pour bon nombre d'entre eux.

En même temps, je constatais aussi que certains arrivaient à tirer leur épingle du jeu, alors que d'autres s'engouffraient de plus en plus dans un trou sans fond.

Depuis que j'ai ouvert mon bureau de consultations privées, je traite de plus en plus de cas d'épuisement professionnel (burnout). On dirait que c'est devenu la nouvelle maladie à la mode : « T'as jamais fait de burnout ? Moi oui ! Je suis en burnout , puis je suis rendu à mon deuxième ! »

Dans son livre *Real Age*, le Dr. Michael Roizen révèle que chaque année de vie soumise à un stress important se solde par trois années en moins d'espérance de vie. D'après ses recherches, si vous ne réservez pas une soupape d'expression à votre vraie passion, vous perdez encore six années. Si vous êtes constamment en situation de conflit, vous perdez encore huit ans. Pensez-y. Je n'ai pas inventé ces statistiques pour rendre mes propos plus percutants, vous pourrez les retrouver dans le livre du Dr. Michael Rozen. Alors lorsqu'on vous dit d'arrêter de sous-estimer ce que le stress fait sur vous, vous avez avantage à prendre cela au sérieux.

Que faites-vous pour diminuer votre stress et pour remettre du plaisir dans votre vie ?

À mon avis, cette clé, **ayez du plaisir**, est trop souvent sous-estimée.

Il y a quelques années, j'ai donné une conférence au RFAQ-Réseau des femmes d'affaires du Québec. Maryse, une belle jeune femme de 27 ans était assise à l'avant et je voyais qu'à chaque fois que je posais des questions pour faire réfléchir l'auditoire, elle réagissait. Après la conférence, elle est venue me voir, toute bouleversée, en me disant : « Je réalise que je ne suis pas à ma place dans mon travail. Je suis complètement renversée par vos propos, parce que je me suis reconnue là-dedans. Je n'ai plus de plaisir dans ce que je fais. ».

Nous avons alors continué à échanger et la soirée s'est ensuite terminée.

Quelques jours plus tard, je recevais un courriel de Maryse qui me disait avoir pris la décision de quitter son emploi. Dans son courriel, elle me remerciait de lui avoir ouvert les yeux.

Vous savez, je lui ai peut-être ouvert les yeux, mais elle a décidé de passer à l'action, de se prendre en main. Elle a décidé de ne plus être une victime, de ne pas se plaindre de son sort. C'est ce que nous avons vu à la clé #1 : Se responsabiliser, mais c'est aussi un pas pour avoir plus de plaisir dans la vie. Si je fais ce que j'aime au niveau professionnel, je contribue à remettre du plaisir dans mon existence !

Mais au juste, posons-nous la question : Qu'est-ce que ça veut dire, remettre du plaisir dans sa vie ? Certains diront que c'est la capacité d'atteindre un certain équilibre dans sa vie, d'autres diront que c'est la faculté de gérer efficacement notre vie pour y prendre plaisir !

Ma définition à moi, c'est que je crois que l'on doit avoir la capacité de se concentrer sur nos priorités, sur ce qui importe réellement pour nous. Pour chacun d'entre nous, les priorités sont différentes. Le jour où je consacre la majorité de mon temps sur mes priorités, j'augmente considérablement mon niveau de satisfaction, mon sentiment de bien-être. Je pense aussi que c'est là que le plaisir commence.

Chez la majorité des gens qui me consultent, il y a un dénominateur commun. Ils ont, pour la plupart, oublié d'avoir du plaisir dans leur vie. Soit qu'ils n'ont plus de plaisir dans leur vie professionnelle, soit qu'ils n'ont plus de plaisir dans leur vie de couple, ou leur vie personnelle en général. Ils ont oublié d'avoir du FUN !

Il y a un concept que je trouve très important et que j'aimerais partager avec vous. Je vais vous poser une question et je vous demande d'être très honnête avec vous-même.

> **Depuis combien de temps vous est-il vraiment arrivé, sans vous culpabiliser, de prendre soin de vous, de faire quelque chose pour vous faire plaisir ?**

Demandez-vous depuis combien de temps vous ne vous êtes pas dit : « Je fais ce que je fais aujourd'hui, parce que c'est ce que je voulais faire », plutôt que : « Je fais ce que je fais aujourd'hui, parce qu'il faut absolument que je le fasse, ou simplement parce que c'est ce que je faisais hier. ».

Je sais qu'il y a des choses au quotidien que l'on doit faire, comme l'épicerie, les devoirs avec les enfants, leur faire prendre leur bain, mais pourquoi ces tâches doivent-elles être une corvée ?

Moi, les oreilles me frisent toujours lorsque j'entends certaines personnes dire : « J'ai fini ma journée de travail et je m'en vais à la maison recommencer un autre chiffre ! ». Est-ce que c'est ça votre vie ?

Est-ce que ça se résume en une série de corvées ?

J'ai une amie qui travaille avec moi depuis longtemps et qui a deux enfants. Lorsque ses enfants étaient jeunes, elle me disait souvent : « Ce soir, on fait changement. Au lieu de prendre notre bain de façon habituelle, on prend une douche en gang, en maillots de bain ! ». Pas besoin de vous dire que c'était toute une fête pour les deux enfants. Mon amie ne se souciait pas de savoir s'ils allaient être propres sous leurs maillots. Était-ce bien grave, juste pour un soir ? Et bien je peux vous dire que de se laver ce soir-là, c'était loin d'être une corvée. C'était plutôt une partie de plaisir.

Et là, j'en entends déjà certains se dire : « Moi, je ne suis pas égoïste. Prendre soin de moi équivaudrait à donner moins de temps pour les gens qui sont autour de moi. ».

> **Réalisez une chose. Je ne peux pas aider les autres si, avant tout, je ne prends pas soin de moi. Je ne peux pas penser être disponible, à l'écoute, de bonne humeur avec mon entourage si, avant tout, je n'ai pas pris du temps pour moi.**

Lorsqu'on prend du temps pour soi, on contribue à être plus heureux. Lorsque l'on focus sur nos priorités, on obtient un sentiment de satisfaction qui contribue à faire de nous une personne plus à l'écoute et plus disponible pour les gens qui sont importants pour nous.

Si je contribue à mon propre bonheur, à mon propre plaisir, je pourrai ensuite contribuer au bonheur des gens qui m'entourent.

Le jour où j'ai compris cela, j'ai cessé de faire des compromis sur ce que j'attendais de la vie, j'ai cessé de me satisfaire de moins que rien. J'ai décidé de ne vouloir que ce qu'il y avait de mieux. J'ai décidé que j'allais faire ce qui me plaisait. J'ai décidé d'essayer de vivre chacune des nouvelles journées qui se présentaient comme si c'était la dernière. Mon objectif numéro 1 est devenu : avoir du plaisir dans ma vie, autant personnelle que professionnelle. Vous savez, il y a quand même des jours où je peux être un peu contrariée, un peu plus fatiguée, mais la bonne nouvelle, c'est que ça ne dure jamais longtemps.

Et vous, de quoi vous contentez-vous ? Avez-vous acheté l'idée que *« Dans la vie, on ne fait pas ce qu'on veut, on fait ce qu'on peut »* ?

Remettez du plaisir dans votre vie au quotidien. Vous ne vous en porterez que mieux et votre entourage aussi.

Le succès n'a rien à voir avec ce que vous gagnez ou accomplissez pour vous. C'est ce que vous faites pour les autres.

[Danny Thomas]

🔑 CLÉ #9 : CHANGEZ DE STRATÉGIE

Mais comment croire qu'on peut faire tout ce qu'on veut ? Reprenons l'histoire de Roger Banister, notre coureur émérite. Ce n'est qu'à partir du moment où ils ont vu Roger réussir qu'ils ont cru que c'était possible. Ils ont alors commencé à croire qu'eux aussi pouvaient le faire.

Je vous pose alors la question : Y a-t-il des choses que vous aimeriez faire ou réaliser, mais dont vous vous empêchez de faire parce que vous doutez de votre réussite ?

Si c'est le cas, regardez autour de vous. Il y a sûrement des personnes qui réussissent à faire ce que vous aimeriez faire. Invitez-les à diner, demandez-leur conseils, demandez-leur comment elles ont fait pour réussir. Le but est de déterminer quelle a été leur **stratégie** pour atteindre leur objectif ? Vous allez ainsi épargner un temps fou, puisque vous n'aurez pas à réinventer la roue. Vous serez surpris de la générosité des gens, lorsque viendra le temps de parler d'eux. Lorsque j'ai voulu devenir conférencière, j'ai pris la décision d'inviter à diner quelques conférenciers et conférencières qui étaient pour moi des modèles. Je leur ai demandé comment ils étaient arrivés où ils étaient. J'ai appris une foule de choses, mais surtout, je commençais à croire que moi aussi, je pouvais le faire.

Lorsqu'on parle de changer de stratégie, il y a aussi un autre élément très important que j'aborde.

Lors de mes conférences, j'ai pris l'habitude de me transformer en mouche pour expliquer à l'auditoire que très souvent, nous, les êtres humains, agissons comme des mouches.

Que fait une mouche lorsqu'elle entre dans une pièce ? Elle en fait le tour, pour ensuite se diriger vers la fenêtre pour tenter de sortir. Évidemment, lorsque la fenêtre est fermée, elle essaie de sortir, en vain. Mais comme la mouche a un tout petit cerveau, elle continue de se cogner contre la fenêtre, si bien qu'après plusieurs heures, elle finit par mourir au bord de la fenêtre. La mouche n'a pas été suffisamment futée pour essayer autre chose. Elle a continué d'utiliser la même stratégie (tenter de sortir par une fenêtre fermée), en pensant obtenir un résultat différent (réussir à sortir).

J'ai réalisé au fil du temps que très souvent, nous aussi les humains, bien que nous soyons dotés d'intelligence, nous adoptions des comportements similaires à la mouche. Je m'explique. Très souvent, nous adoptons toujours le même comportement, en croyant avoir un résultat différent. Nous nous y prenons toujours de la même façon, même si, manifestement, notre stratégie ne fonctionne pas. Je raconte souvent l'exemple d'une dame qui me disait : « Stéphanie, ça fait 15 ans que je suis mariée et depuis 15 ans, je cris après mon mari pour qu'il arrête de laisser traîner ses affaires, mais ça ne fonctionne pas. N'êtes-vous pas d'accord qu'il serait avantageux pour elle d'essayer une autre stratégie ? Le fait de crier après lui ne semble pas fonctionner, elle aurait donc avantage à tenter autre chose !

Pensez à vos propres comportements. Vous arrive-t-il de ne pas obtenir le résultat que vous souhaitez ? Si oui, je vous conseille d'essayer autre chose, de changer de stratégie. Vous risquez d'obtenir un autre résultat !

UNE CROYANCE QUI A CHANGÉ MA VIE

> Ce que l'on croit désavantageux aujourd'hui peut devenir avantageux dans le futur.

Prenons un exemple concret. Dans les médias, on a annoncé récemment un crash aérien. L'avion s'était écrasé, ne laissant aucune chance de survie à ses passagers. Un jeune homme d'affaires, Pierre, devait prendre ce vol pour se rendre à un important rendez-vous d'affaires. Imaginez sa réaction lorsqu'il a constaté qu'il avait manqué son vol. Sur le coup, il s'était dit que c'était une bien mauvaise affaire pour lui ce qui arrivait.

C'est toujours fascinant d'entendre les propos de la même personne, le lendemain de l'accident dans lequel tous les passagers sont morts : « Mon Dieu, j'avais manqué mon avion, j'étais dans tout mes états et finalement, c'est la meilleure chose qui ait pu m'arriver ! » Ainsi, après coup, Pierre constatait que ce vol raté avait été non seulement une bonne affaire pour lui, mais que cela lui avait sauvé la vie.

Vous me direz que c'est un exemple un peu extrême et assez rare, mais à maintes reprises on a sans doute tous eu l'occasion d'expérimenter ce fait soi-même. Sur le coup, lorsqu'un événement fâcheux se produit, on se sent triste, on se dit que c'est vraiment malheureux qu'une telle situation survienne. Par contre, avec le temps, on comprend que ce n'était peut-être pas une si mauvaise affaire que cela et que si l'événement fâcheux ne s'était pas produit, on n'aurait pas connu cette nouvelle situation si intéressante pour nous ou cette nouvelle avenue qui nous permet de découvrir de nouvelles opportunités.

J'ai eu récemment l'occasion de rencontrer un homme dénommé Maurice. Il me racontait qu'il y a quelques années, il avait réussi à vaincre un cancer. À ma grande surprise, il m'a raconté que ce qui lui était arrivé était une bonne chose pour lui, car cette maladie lui avait permis de prendre conscience qu'il avait négligé les membres de sa famille au fil des années, au profit de son travail. La maladie lui avait fait réaliser à quel point sa famille était primordiale pour lui et qu'il souhaitait dorénavant passer plus de temps avec eux. Il m'a dit, le plus sérieusement du monde : « Sans cet évènement, je n'aurais sûrement jamais fait cette prise de conscience. Dieu merci, cela m'est arrivé ! ».

Vous pouvez imaginer !

Pourquoi attend-on un évènement pareil pour se réveiller ?

> « Puis-je démontrer avec certitude que ce qui m'arrive actuellement est vraiment une mauvaise affaire pour moi ? Quels en sont les désavantages réels ? »
>
> « Est-il possible que je ne vois pas actuellement les avantages de cette situation à court, moyen et long terme ? »

Une autre histoire pour illustrer ce fait :

Le 6 décembre 1989 restera à jamais gravé dans l'histoire canadienne. Ce jour-là, en fin d'après-midi, un jeune homme armé est entré dans l'école polytechnique de Montréal et s'est mis à tirer sur des jeunes femmes. Quatorze sont mortes et autant ont été blessées. Dans les jours suivants cette tuerie, le pays entier a été plongé dans l'incompréhension et la douleur. Tous se demandaient ce qui avait bien pu pousser un jeune homme de 25 ans à tuer de sang froid quatorze femmes. Dans une lettre trouvée sur lui, il affichait clairement sa haine envers les femmes et l'école polytechnique, qui avait refusé sa candidature. Dans la lettre trouvée sur Marc Lépine, on pouvait lire : *« Excusez les fautes. J'avais quinze minutes pour l'écrire. Veuillez noter que si je me suicide aujourd'hui 89/12/06, ce n'est pas pour des raisons économiques, mais bien pour des raisons politiques, car j'ai décidé d'envoyer Ad Patres les féministes qui m'ont toujours gâché la vie. Depuis sept ans que la vie ne m'apporte plus de joie et étant totalement blasé, j'ai décidé de mettre des bâtons dans les roues à ces viragos. ».*

Comment survit-on à la mort d'une fille, d'une sœur ou d'une amie, assassinée froidement par un Marc Lépine ? La mère et la sœur de Geneviève Bergeron, une victime du 6 décembre 1989, ont parlé cinq ans après la tragédie du deuil qu'elles avaient vécu. Les deux femmes estimaient s'en être sorties à bon compte.

Toutes les familles ne s'en sont pas sorties aussi bien. Ainsi, un des étudiants de l'école polytechnique ayant vécu le drame du 6 décembre s'est suicidé. Ses parents se suicideront à leur tour, par la suite.

Cette journée a été marquante pour moi, comme pour bien d'autres. À cette époque, je fréquentais un garçon, Martin, qui étudiait à la Polytechnique ; il en était à sa troisième année de génie mécanique. Certaines des filles décédées étudiaient aussi en génie mécanique, dans la même année que lui. Martin avait perdu des amies dans cette tragédie.

Je me rappelle encore de la tristesse qui m'avait envahie lorsque j'écoutais les reportages qui relataient les évènements et cette tristesse m'a suivie pendant longtemps. Encore aujourd'hui, près de 18 ans plus tard, j'en parle avec émotion.

Même après toutes ces années, je ne peux m'empêcher de penser aux victimes et à leurs familles, mais aussi aux filles qui, trois ans auparavant, avaient peut-être été refusées au programme d'ingénierie de cette prestigieuse université.

On peut facilement imaginer leur déception, lorsqu'elles avaient appris que, faute de notes satisfaisantes et de contingentement, elles ne pourraient être admises à l'école Polytechnique. À ce moment-là, elles avaient sans doute vécu beaucoup de tristesse et de déception.

Suite aux évènements survenus le 6 décembre 1989, je ne peux m'empêcher de penser que c'était finalement peut-être la meilleure chose qui pouvait leur arriver, trois ans plus tôt. Qui sait si elles n'auraient pas payé de leur vie, leurs rêves de devenir ingénieures. Il n'y a pas de certitude absolue et de toute façon, on ne le saura jamais, mais ça aurait pu être une éventualité.

Évidemment, lorsqu'on pense aux proches des victimes, il est difficile de se demander quel a été le point positif de cette perte. L'acceptation et le temps ont pu, j'ose l'espérer, amoindrir quelque peu leur douleur face à la mort d'un être cher. Il est cependant étonnant de constater que face à cet évènement, certaines familles ont su s'en sortir, alors que d'autres ont sombré dans la tristesse infinie, jusqu'à en mourir. Il convient ici de se demander pourquoi les réactions peuvent différer à ce point, d'une famille à l'autre.

Certes, un évènement du genre est sûrement une des plus intenses douleurs qu'un être humain peut vivre, mais probablement qu'avec une façon différente d'entrevoir l'événement, les uns ont réussi à s'en sortir, tandis que les autres ont sombré dans le néant.

Je vous invite donc à retenir cette phrase :

Ce que je juge désavantageux aujourd'hui peut devenir avantageux dans le futur.

Je le répète, cette phrase a changé ma vie. Je ne vois plus jamais ce qui m'arrive de la même façon, depuis que j'entretiens cette croyance.

CONCLUSION

J'avais environ 10 ans lorsque j'ai commencé à m'intéresser à la psychologie humaine. Sans le savoir, ma destinée était tracée d'avance. Je me rappelle très bien avoir consolé mes petites amies lorsqu'elles vivaient des déceptions et leur avoir prodigué une multitude de conseils pour ne pas s'en faire avec la vie. Déjà à cet âge, j'étais une positive dans l'âme.

J'ai lu mon tout premier livre sur le sujet vers l'âge de 16 ans qui s'intitulait : *Pourquoi pas le bonheur*, de Michelle Morgan. Dans cet ouvrage, l'auteure y mentionnait que l'on pouvait utiliser notre subconscient pour obtenir tout ce qu'on voulait. Je venais de découvrir à cet âge que notre potentiel était illimité et j'étais très décidée à l'utiliser au maximum.

La vie m'a ramenée quelque fois à la réalité, mais en même temps, je savais qu'il y avait une part de vérité dans cet ouvrage. J'ai par la suite lu tous les livres sur le succès, le bonheur, l'art de se dépasser, la puissance du subconscient, la pensée positive, la visualisation, etc. À chaque fois, j'y découvrais une nouvelle façon de voir les choses, la vie, le succès et le bonheur. C'est fort probablement ce qui m'a poussée à aller vers la psychologie. Cette science à la fois si intéressante, mais si complexe.

La vie m'a aussi amenée à enseigner, mais chaque fois que je me retrouvais devant une classe, mon message tendait vers l'atteinte du succès, la façon de se dépasser. Si bien que j'ai réalisé que je devais en faire ma mission de vie. Et pour moi, ça allait devenir cela le succès, mon succès.

Au terme de la dernière année au cours de laquelle j'ai écrit les chroniques du succès que vous venez de lire, j'ai réalisé que les gens m'écrivaient souvent pour me faire part de leurs commentaires ou de leurs points de vue, suite à la chronique qu'ils venaient de recevoir. J'ai réalisé que bien que chacun avait sa propre façon de voir les choses, ce qui est tout à fait normal, nous nous entendions tous sur un point, c'est que l'être humain veut avant tout être heureux. Mais pour atteindre ce bonheur, nous devons avoir l'impression que nous avons réussi dans les différentes sphères de notre vie. Je souhaite que les outils et les enseignements qui vous ont été offerts dans cet ouvrage puissent vous aider à vous rapprocher du succès. De mon côté, je continuerai ma quête perpétuelle de l'enseignement du bonheur et du succès. Depuis toujours, ma mission a été d'aider les gens à rendre leur vie plus agréable.

C'est dans cette optique que j'ai créé en 2006, le Club du succès, un organisme sans but lucratif ayant pour mission d'aider les gens à atteindre le succès au niveau personnel et professionnel. **www.ClubDuSucces.com**

Je vous invite à visiter notre site Internet et à m'écrire vos commentaires. Je vous souhaite, en attendant, tout le succès possible.

Stéphanie

REMERCIEMENTS

Je me considère très privilégiée d'avoir autour de moi des gens extraordinaires qui, chaque jour, font que mes journées sont merveilleuses.

Un merci bien spécial à Christelle Auger. Ton travail quotidien au sein de notre entreprise me comble de bonheur à tous les jours. Chaque nouvelle journée est agréable en ta compagnie. Ta créativité, ton engagement et ton dévouement me font chaud au cœur. Merci de croire en nous et de contribuer à rendre notre entreprise encore meilleure. Merci d'avoir fait de ce livre un outil si intéressant et accessible pour les lecteurs.

Merci tout particulièrement à Isabelle Fournier, sans qui ce livre ne serait pas ce qu'il est. Merci pour ton merveilleux travail et pour ta rigueur. Merci aussi d'être dans ma vie à titre d'amie. Je l'apprécie vraiment et je te souhaite tout le succès que tu mérites, tu travailles tellement fort, tes efforts ne peuvent qu'être couronnés.

Louis-Jean. Merci d'avoir cru en SCSM ! Sans toi, j'aurais sans doute quitté la barque lors des tempêtes que nous avons traversées. Merci d'avoir tenu le coup et surtout de m'avoir tendu la main lorsqu'il ventait très fort. Je t'aime énormément mon amour.

Un merci particulier à mes parents, Lucie et Marcel. Il y a quelques mois, vous avez assisté pour la première fois à ma conférence-spectacle. Suite à cette soirée, j'ai senti une fois de plus votre grande fierté à mon égard. J'ai toujours su que vous étiez fiers de moi et que vous me supportiez indépendamment de mes choix de vie. C'est à mon avis, la plus belle preuve d'amour que des parents peuvent donner à leur enfant. Je souhaite pouvoir offrir moi aussi, un jour, le même support et le même amour à mon enfant. Merci d'avoir été si merveilleux tout au long de ma vie et d'avoir toujours cru en moi.

Merci aux Productions Albatros. Depuis l'an dernier, notre partenariat m'a permis de réaliser un rêve que je caressais depuis très longtemps, offrir une conférence-spectacle.

Merci à Stéphane Ferland, Manon Bernier, Pierre Longpré, Dominique Fréchette, Marc Larrivée et à toute votre équipe. Merci de croire en moi, je l'apprécie tellement et vous me donnez des ailes.

Évidemment, merci à l'ensemble des gens qui font partie de ma vie et qui font en sorte que celle-ci est immensément comblée. Ma famille, ma belle famille, mes amis... Henriette et Paul, Marie, Claude et Ève. Sonia, Robert et Kayla. Nathalie, Patrick, Alexia et Maxime. Sophie. Mes grands-parents, tante Nicole, Pierre, Maude et Marc. Nicole, Claude, Sébastien et Pascale. Mes amies d'enfance, Julie et Céline. Marie-Hélène, Sylvio, Tristan et Sammy. Stéphane et Karine. Patrick et Jacynthe. Christian et Sylvie. Louise et Gaétan.

Et tous les gens qui ont été et qui sont encore dans ma vie, merci d'être là. Je vous aime beaucoup.

BIBLIOGRAPHIE

BOURRE, Jean-Marie. *Les aliments de l'intelligence et du plaisir*, Éditions Odile Jacob, 2001.

BRETON, Marie, et Isabelle ÉMOND. *Boîte à lunch emballante, recettes et astuces*, Éditions Flammarion, 2001.

BRETON, Marie, et Isabelle ÉMOND. *À table, les enfants*, Éditions Flammarion, 2005.

GILBERT, Daniel Todd, *Et si le bonheur vous tombait dessus*, Éditions Robert Laffont, 2007.

GOLEMAN, Daniel. *L'intelligence émotionnelle 2 : cultiver ses émotions pour s'épanouir dans son travail*, Éditions Robert Laffont, 1999.

GOTTMAN, John M. et Nan SILVER. *Les couples heureux ont leurs secrets. Les sept lois de la réussite*, Éditions JC Lattès, 2000.

HALPERN, Howard. *Choisir qui on aime*, Éditions de l'Homme, 2006.

KASSER, Tim. *The High Price of Materialism*, The MIT Press, 2002.

MACGRAW, Phillip C. *Couple : La formule du succès*, Éditions Marabout, 2007.

MITCHELL, W. *It's not what happens to you. It's what you do about it*, 1997.

MORENCY, Pierre. *Le cycle de rinçage*. Éditions Transcontinental, 2006.

MORGAN, Michèle. *Pourquoi pas le bonheur ?* Éditions Libre Expression, 2006.

ROIZEN, Michael. *Real Age*, New Ed, 1999.

[En ligne]. Adresse URL : http://www.psychomedia.qc.ca

[En ligne]. Adresse URL : http://www.santepub-mtl.qc.ca

CONFÉRENCES CORPORATIVES

STÉPHANIE MILOT *B.Sc. Psyt.*

www.stephaniemilot.com

Titres des CONFÉRENCES:

1) Atteignez de nouveaux sommets, grâce à l'intelligence émotionnelle!

2) Changez d'état d'esprit pour mieux vivre avec le stress et vos émotions!

3) Les clés qui déclenchent la motivation!

4) Le langage non-verbal : un outil puissant !

5) Bonne attitude = Bons résultats !

6) Le pouvoir insoupçonné de la reconnaissance!

7) La puissance de la PNL pour maximiser vos résultats!

8) Optimisez le travail d'équipe et augmentez vos résultats!

9) Vendez plus grâce à votre nouvelle attitude!

SCSM
Séminaires et Conférences
STEPHANIE MILOT INC.

Réservez vos dates maintenant:
Tél.: **(450) 978-2725** Cell: **(514) 573-3525** *Courriel : info@stephaniemilot.com*

Achevé d'imprimer sur les presses de
Quebecor World Saint-Romuald.

Imprimé sur du papier Quebecor Enviro 100 % postconsommation,
traité sans chlore, accrédité Éco-Logo et fait à partir de biogaz.

certifié   procédé   100 % post-   archives   énergie
        sans   consommation   permanentes   biogaz
        chlore